O CÉREBRO ANSIOSO

Dr. Leandro Teles

O CÉREBRO ANSIOSO

Aprenda a reconhecer, prevenir e tratar o maior transtorno moderno

Copyright © 2018 Leandro Teles
Copyright desta edição © 2018 Alaúde Editorial Ltda.

Todos os direitos reservados. Nenhuma parte desta edição pode ser utilizada ou reproduzida – em qualquer meio ou forma, seja mecânico ou eletrônico –, nem apropriada ou estocada em sistema de banco de dados sem a expressa autorização da editora.

Este livro é uma obra de consulta e esclarecimento. As informações aqui contidas têm o objetivo de complementar, e não substituir, os tratamentos ou cuidados médicos. Elas não devem ser usadas para tratar doenças graves ou solucionar problemas de saúde sem a prévia consulta a um médico ou a um nutricionista. Uma vez que mudar hábitos envolve certos riscos, nem o autor nem a editora podem ser responsabilizados por quaisquer efeitos adversos ou consequências da aplicação do conteúdo deste livro sem orientação profissional.

O texto deste livro foi fixado conforme o acordo ortográfico vigente no Brasil desde 1º de janeiro de 2009.

Preparação: Raquel Nakasone
Revisão: Cacilda Guerra, Rosi Ribeiro Melo
Capa: Amanda Cestaro
Projeto gráfico: Cesar Godoy
Ilustração de capa: gst/ShutterStock.com
Ilustrações de miolo: Udaix (pp. 37, 41 e 42, acima), Designua (p. 42, abaixo)/ShutterStock.com

1ª edição 2018 (4 reimpressões)

Dados Internacionais de Catalogação na Publicação (CIP)
(Câmara Brasileira do Livro, SP, Brasil)

Teles, Leandro
    O cérebro ansioso : aprenda a reconhecer, prevenir e tratar o maior transtorno moderno /Leandro Teles. -- 1. ed. -- São Paulo : Alaúde Editorial, 2018.

    ISBN 978-85-7881-530-1

    1. Ansiedade 2. Ansiedade - Tratamento 3. Autoajuda 4. Cérebro - Doenças - Tratamento 5. Estresse (Psicologia) I. Título.
18-15763   CDD-158.1

Índices para catálogo sistemático:
1. Ansiedade : Psicologia aplicada   158.1

2021
Alaúde Editorial Ltda.
Avenida Paulista, 1337, conjunto 11
São Paulo, SP, 01311-200
Tel.: (11) 3146-9700
www.alaude.com.br
blog.alaude.com.br

SUMÁRIO

Apresentação 7

Introdução: Afinal, o que é ansiedade? 13

Ansiedade do bem *vs.* ansiedade do mal 19

Sinais e sintomas dos distúrbios ansiosos 47

As síndromes ansiosas 91

O que causa um transtorno de ansiedade? 145

Tratamento e prevenção dos transtornos ansiosos 189

Considerações finais 249

Agradecimentos 255

Sobre o autor 261

APRESENTAÇÃO

Ai, meu Deus, estou ansioso! Começar as primeiras linhas de um novo livro me deixa com um ligeiro frio na barriga. Meu coração palpita consciente, avisando-me de que está lá. Sensação curiosa, um receio confiante. Minha respiração fica ligeira e curta, mas não me deixa ofegante; meus dedos se atiçam e, inquietos, erram a grafia de algumas palavras simples. Essa sensação me impulsiona, afastando-me do dia difícil, ligando-me a esse mais novo projeto.

Parece que hoje recebo adiantada a primeira parcela da emoção que imagino que terei a cabo desta obra. Obrigado, ansiedade! Sem você este livro não seria possível. Você me torna capaz, colore meus dias sombrios e me conecta a um futuro de alternativas, riscos e medos. A vida sem você é vazia, afinal o presente precisa de pitadas de incertezas e expectativas: a insegurança dá o tom vibrante das grandes conquistas, e a luta contínua contra a previsibilidade do próximo passo escreve as melhores biografias. Um brinde à ansiedade! Ela será sempre bem-vinda na sua forma benigna e funcional, em goles suaves, direcionada, contextual e proporcional. Terá sempre seu lugar ao sol quando vier

O cérebro ansioso

para alinhar nosso foco, para nos preparar ou nos proteger de riscos reais, para intensificar vivências e ampliar nosso rendimento emocional. Mas espero que estejamos atentos e capacitados a reconhecer e combater suas formas patológicas, demasiadas, inexplicáveis, que trazem tanto sofrimento, bloqueios e franca perda de qualidade de vida.

Imagino aqui que você também possa estar um tiquinho ansioso, afinal, começar um livro é sempre um ato de expectativa e fé. Obrigado pela confiança! Também imagino que você não tenha escolhido uma obra sobre esse tema por acaso. Respire fundo (farei o mesmo por aqui na frente do meu velho notebook) e *vamos que vamos!* Um parágrafo de cada vez.

Convido-o para mais um passeio pela curiosa e fascinante mente humana. Em meu primeiro livro (*Antes que eu me esqueça*, Alaúde, 2016), debatemos aspectos diversificados da cognição, da construção de memórias, do direcionamento da atenção, do gerenciamento da informação e dos pontos de intervenção para otimizar o resultado intelectual. E nesta nova obra nossa missão não será menos ambiciosa. Nas páginas deste livro debateremos, de forma livre, ampla e democrática, aspectos relevantes sobre questões emocionais, usando como ponto central a discussão sobre a ansiedade na sua forma fisiológica (normal) e patológica (transtorno). Buscaremos seus determinantes biológicos, seus sintomas físicos e psicológicos, seu poder de ora proteger, ora paralisar um indivíduo. Nesse passeio, tentarei ser o mais claro e simples possível. Priorizarei a transmissão da informação respeitando a inteligência do público leigo, mas sem entrar em termos estritamente técnicos. Sempre que possível, procurarei trazer analogias, um pouco de história, casos e curiosidades, com o intuito de tornar nossa caminhada mais leve, agradável e interessante.

Apresentação

O roteiro que tracei para nossa nova empreitada foi planejado com carinho e cuidado. Sei que nossa ansiedade nos trará a vontade de acelerar o ritmo para chegar logo ao destino desejado, muitas vezes focado nas medidas de tratamento, prevenção e atenuação do transtorno. Mas, como seu guia nesse passeio, sugiro que curta a jornada, aprecie calmamente as paisagens que surgirão, os oásis e os pontos de reflexão com os quais iremos nos deparar em meio à nossa peregrinação. Partiremos em breve, em poucas páginas. Traga roupas confortáveis e prepare-se para uma imersão. Prometo que um ou outro parágrafo menos interessante no meio dessa caminhada fará muito sentido em determinado momento. Então segure-se firme.

É claro que vários caminhos levam a Roma, mas optei por uma sequência que avalio como mais didática:

- Iniciaremos com uma breve apresentação do tema, para situar nossa cognição no contexto e relevância da obra.
- No primeiro capítulo, discutiremos a função da ansiedade normal e conheceremos um pouco da integração entre mente e corpo, discutindo como o organismo reage em situações agudas e emergenciais. Na sequência, conheceremos um exemplo dramático de como esse sistema feito para nos proteger pode adoecer e passar a nos prejudicar.
- No segundo capítulo, analisaremos os sintomas mais importantes dos transtornos ansiosos, aprenderemos a reconhecer e respeitar o impacto da ansiedade na nossa *performance* física, emocional e intelectual. Tenho certeza de que, ao ler esse capítulo, você vai se surpreender com a quantidade e abrangência dos fenômenos ansiosos e até identificar conhecidos com traços de ansiedade (isso se não identificá-los em si próprio).

O cérebro ansioso

- Aqui a coisa fica séria! No terceiro capítulo, conheceremos as principais formas clínicas de ansiedade e aprenderemos sobre o conjunto de sintomas que definem os principais diagnósticos de tipos de ansiedade. Nesse momento, apresentarei casos clínicos comentados, e teremos uma visão mais realista de como a ansiedade pode alterar o nosso ritmo e qualidade de vida, levando-nos a viver sob seu prisma patológico e, por vezes, incapacitante.

- Daremos um estratégico passo para trás no quarto capítulo e discutiremos os determinantes dos transtornos ansiosos, com foco na compreensão dos motivos pelos quais uma pessoa tem mais ou menos chance de desenvolver esse tipo de problema. Nesse importante capítulo, já prepararemos o terreno para a discussão dos pontos de intervenção, das medidas preventivas e atenuadoras do sofrimento.

- O quinto capítulo é a cereja do nosso bolo. A vivência para a qual nos capacitamos nos capítulos anteriores. Aqui, iremos nos debruçar nos tratamentos, nas mudanças de estilo de vida, nos ajustes cognitivos e emocionais, nas modalidades de psicoterapia e nas medidas farmacológicas disponíveis.

- As considerações finais (ufa!) servem para fazer um breve apanhado do que discutimos anteriormente, buscando uma visão global da grande história contada neste livro.

Como você pode perceber, a obra procura ter coesão e sentido, com capítulos articulados, dispostos de forma a conduzir você, leitor, a uma evolução progressiva e ascendente. Os capítulos conversarão entre si, e faremos retornos, reforço de conceitos, apresentaremos novas formas de enxergar um determinado dilema etc. Sugiro que você o leia de forma linear e torço para que saboreie mais a jornada que o destino.

O tema é inesgotável, até porque a ciência ainda não o desvendou completamente. Por isso, nossa meta será propiciar informações práticas e objetivas que se tornem tijolos para a construção do conhecimento individual. Queremos um leitor reflexivo, questionador, informado sobre o que se passa em seu corpo, capaz de confrontar as informações recebidas dessa obra com suas experiências pessoais. Espero que, ao fim da leitura, você esteja munido de mais ferramentas para viver melhor e com mais saúde – tirando o máximo de benefícios de sua ansiedade!

Dr. Leandro Teles

INTRODUÇÃO:
Afinal, o que é ansiedade?

Vivemos tempos definitivamente ansiosos. Temos de lidar com sobrecarga de tarefas, elevada velocidade de informação, altos graus de cobrança, poucas válvulas de escape, intolerância ao erro, necessidade de ser multitarefa, falta de tempo. Esse é um terreno fértil para o aparecimento de formas exacerbadas e disfuncionais de ansiedade, um fenômeno biológico universal presente em boa parte das pessoas na atualidade.

Quando falamos em ansiedade, estamos pensando em um conjunto de emoções e reações corporais que antecedem o novo, o desafio ou uma experiência de alguma forma arriscada ou estressante. Trata-se de um pacote cerebral que precisa de estímulos específicos para aparecer e gera uma resposta física imediata, preparando o corpo para o enfrentamento ou para a esquiva de uma situação fora do comum. Sempre que o cérebro perceber que algo importante está prestes a ocorrer, ele desencadeará uma série de eventos que chamamos genericamente de ansiedade, ou antecipação ao estresse.

Esse "modo expectativa" pode ser acionado tanto para eventos bons (uma festa, um encontro, uma formatura, o nascimento de um filho) como para eventos potencialmente ruins (a chegada a um local perigoso, o receio de um diagnóstico, o medo de perder o emprego etc.). Sentir-se ansioso, nesses contextos, é sinal de saúde! Quando o cérebro se antecipa diante de situações reais a fim de gerar uma sucessão de ajustes proporcionais a elas, o resultado tende a ser o melhor possível. O que seria de uma comemoração ou de uma viagem sem aquela sensação de ansiedade que as antecede? E quem nunca ouviu a frase "O melhor da festa é esperar por ela"?

Da mesma forma, quando a percepção antecipatória está relacionada ao risco, a ansiedade pode nos salvar: nos fazendo evitar um local escuro e ameaçador pela sensação de que poderemos ser assaltados, nos impedindo de nos aproximar demais do parapeito de um edifício pelo desconforto da altura ou mesmo nos estimulando a desistir de sair de casa ao avistarmos uma nuvem negra no céu. Esses são exemplos claros da ansiedade do bem, aquela que nos motiva ao antecipar o prazer das conquistas e a que nos resguarda dos riscos ao ajustar a reação de enfrentamento.

Para ilustrar o lado bom da ansiedade, lembrei-me de uma passagem bem famosa (e um pouco clichê) do livro *O pequeno príncipe*, de Antoine de Saint-Exupéry, em que a raposa diz:

Se tu vens, por exemplo, às quatro da tarde, desde as três eu começarei a ser feliz. Quanto mais a hora for chegando, mais eu me sentirei feliz. Às quatro horas, então, estarei inquieta e agitada: descobrirei o preço da felicidade! Mas se tu vens a qualquer momento, nunca saberei a hora de preparar o coração...[*]

---

[*] Antoine de Saint-Exupéry, *O pequeno príncipe*. Rio de Janeiro, Editora Agir, 2009. Tradução de Dom Marcos Barbosa.

Introdução

Veja aqui um claro e poético exemplo de parcela emocional paga antecipadamente, do empenho do cérebro em antever o futuro provável, em vivenciar e se "pré-ocupar" com a simples expectativa, adiantando-se e preparando-se para o prazer. Aqui a ansiedade mostrou-se bela e eficaz.

No entanto, todo sistema biológico complexo é passível de falhas (estava demorando para o lado negativo aparecer, não é?), e com esse não poderia ser diferente. O transtorno ocorre quando o sistema se desregula, gerando respostas físicas e emocionais desproporcionais em relação ao risco (exageradas seja em intensidade, seja em duração) ou na ausência de risco real.

Atualmente, vivemos uma epidemia de ansiedade patológica, um distúrbio que leva à baixa de rendimento e que pode assumir formas bastante incapacitantes. Estima-se que de 15 a 20 por cento dos adultos (1 a cada 5) apresentem formas patológicas de ansiedade durante a vida. Isso engloba centenas de milhares de pessoas pelo mundo, tornando o transtorno uma das doenças mais comuns de que se tem conhecimento. Nas mulheres, o risco é cerca de duas vezes maior. Geralmente os sintomas surgem na adolescência ou durante o início da vida adulta, mas podem aparecer em qualquer idade. Existem formas agudas (repentinas) e autolimitadas (que duram pouco tempo e se resolvem sozinhas), mas também existem formas crônicas, que podem se arrastar durante longos períodos, levando a um impacto direto na qualidade de vida.

Aliás, essa é a medida para saber quando a ansiedade se torna um transtorno: ela passa a ser desregulada, gerando sofrimento demasiado e reduzindo o rendimento emocional e cognitivo.

É interessante notar que quando se manifesta de forma patológica, ou seja, na forma de doença, a ansiedade pode assumir

O cérebro ansioso

diversas faces ou expressões clínicas. Iremos discutir bastante essas formas nos próximos capítulos, mas vale aqui uma breve apresentação das mais comuns e frequentes: transtorno de ansiedade generalizada (TAG), síndrome do pânico (SP), síndrome do estresse pós-traumático (SEPT), transtornos compulsivos e obsessivo-compulsivos (TOC) e fobias específicas.

Essa sopa de letrinhas é uma tentativa moderna de classificação a fim de organizar o raciocínio médico e melhorar o diagnóstico e os tratamentos desses tipos peculiares de manifestação da ansiedade. O que todos os casos têm em comum é serem distúrbios da expectativa, provocando sensações desproporcionais ao risco, disfunção na percepção da realidade e na resposta ao medo. As formas mais intensas, com sintomas evidentes, trazem muito sofrimento e angústia, paralisando o paciente em situações cotidianas e levando, eventualmente, à crônica fuga de situações de exposição.

Foi somente a partir do século XX que a comunidade médica voltou a atenção para esse tipo de disfunção, descrevendo melhor os eventos e conduzindo melhor os estudos. Mas, mesmo antes, durante toda a história da medicina, casos já eram vivenciados e por vezes apresentados pelas mais diversas especialidades. Ocorrem nos quatro cantos do mundo e são expressos em todas as culturas, cenários sociais e crenças. Isso aponta para a consistência de tais diagnósticos e para a vulnerabilidade humana a perturbações no mecanismo de gerenciamento da ansiedade.

Felizmente, junto com o crescente reconhecimento das patologias da ansiedade houve também evolução nos tratamentos. Nas últimas décadas, tanto a psicoterapia nas suas diversas formas como a farmacologia avançaram muito e, atualmente, conseguem, ora juntas, ora separadas, propiciar um bom incremento

Introdução

na qualidade de vida dos pacientes que buscam ajuda especializada. A compreensão dos processos cerebrais que levam à disfunção dos mecanismos de avaliação e resposta ao risco foi fundamental nessa franca evolução dos tratamentos disponíveis.

PONTOS IMPORTANTES DESTE CAPÍTULO

- A ansiedade é um conjunto de emoções e modificações físicas que antecedem o estresse, a novidade ou o risco.
- A ansiedade é uma sensação normal e benéfica quando contextual, proporcional e direcionada (podendo melhorar o enfrentamento ou auxiliar na esquiva).
- Existem formas patológicas de ansiedade (transtornos de ansiedade) extremamente frequentes e prejudiciais.
- O reconhecimento do transtorno é a base do diagnóstico e do tratamento adequados.

ANSIEDADE DO BEM *VS.* ANSIEDADE DO MAL

Agora o conceito de ansiedade já está um pouco mais claro, mas antes de adentrarmos nos desdobramentos da ansiedade patológica, que se manifesta na forma de transtornos, precisamos conhecer e discutir um pouco a ansiedade natural, aquela que sempre acompanhou e acompanhará a humanidade aonde quer que ela vá, que é saudável e só aparece diante de determinados riscos.

Por isso este primeiro capítulo traz consigo uma missão grandiosa: precisamos debater alguns aspectos do funcionamento de mecanismos cerebrais que fazem a análise de risco e suas repercussões físicas e emocionais. Sem conhecer direito a função, será complicado reconhecer a disfunção, ainda mais em transtornos desse tipo, nos quais a doença é definida pela desproporção da resposta à realidade. Sei que não será dos capítulos mais tranquilos para pessoas sem nenhum conhecimento na área de saúde, mas estarei aqui por perto, tentando atenuar a frieza da fisiologia, garantindo que seu empenho seja recompensado pelo menos em algum grau com a organização do conhecimento mínimo sobre o funcionamento básico dessa curiosa função cerebral.

Resposta de luta ou fuga

Podemos começar a entender o conceito do pacote de mudanças que antecede imediatamente o estresse com um exemplo clássico e bem ilustrativo. Aprendi nesses anos de ensino de neurologia que uma boa forma de transmitir um conceito básico e impalpável é apresentando um dilema vivido por um personagem, um protagonista com vocação de herói. Assim, fazemos um esforço maior e partilhamos empaticamente seu sofrimento, catalisando e absorvendo melhor preciosos conceitos sobre o funcionamento da mente.

Então vamos lá, viajar um pouco no tempo e imaginar o emblemático encontro de nosso ancestral humano com um leão.

Lá está nosso ancestral, tranquilo, "de boa", caminhando pela selva subsaariana, com sua barba por fazer, olhando a natureza, buscando algum animalzinho indefeso que possa servir de alimento para sua família da caverna. De repente, pula do meio do mato um grande leão, daqueles bem selvagens mesmo, comedor de mamíferos desavisados.

(Observação: dizem que, na verdade, as leoas é que são mais agressivas e caçam mais, e o fazem geralmente em grupo, mas nosso exemplo fica mais interessante assim, com um assustador leão de juba, em um contato frontal, olho no olho.)

Na cabeça do nosso ancestral ocorre uma mudança drástica. O modo "caçador destemido" dá lugar ao modo "caça assustada lutando pela sobrevivência". Nesse caso, o medo fisiológico é proporcional ao risco, e a resposta tem que ser rápida, enfática e intensa. Para resolver essa situação, ao longo de um extenso processo de seleção natural, nosso corpo desenvolveu um mecanismo de tentativa de sobrevivência: um conjunto de mudanças agudas mediadas pela adrenalina e pela ativação de um sistema conhecido como simpático (explicaremos adiante), que desliga tudo no corpo que é irrelevante para uma situação aguda e ativa tudo que é necessário para os próximos minutos de luta pela vida.

Pausa na seguinte imagem: nosso ancestral e o leão, frente a frente (imagine aquele giro de 360 graus na cena). Bom, agora vamos focar nas mudanças físicas, psíquicas e cognitivas que a situação ocasiona.

Mudanças físicas

- Batimentos cardíacos mais fortes e acelerados: chamamos esse efeito de taquicardia, um jeito rápido de fazer o sangue circular mais intensamente e irrigar o corpo todo. Isso serve para nos preparar para correr ou nos atracarmos com o leão.

- Respiração rápida e mais superficial: é uma tentativa de oxigenar melhor o sangue no instante de tensão.

- Aumento da pressão arterial: isso acontece para garantir uma adequada perfusão nos órgãos nobres, principalmente o cérebro, decisivo nas escolhas de vida ou morte.

- Direcionamento do sangue para os músculos: não existe resposta objetiva sem contração muscular. Contraímos nossas fibras musculares o tempo todo, com o intuito de mover as articulações para desempenhar qualquer tipo de movimento – seja para escrever um poema, derrubar uma árvore, seja para dar um tiro que inicia uma guerra mundial. Para o ancestral no nosso exemplo, nunca os músculos foram tão importantes. Por isso, eles tendem a ficar mais tensos e irrigados, esperando a decisão da conduta.

- Pupilas dilatadas: os olhos perdem em visão de detalhes, mas a visão periférica fica aguçada, ganhando em amplitude para visualizar melhor as rotas de fuga ou ameaças periféricas.

O cérebro ansioso

- Pelos eriçados: alguns acreditam que essa resposta seja um resquício de antecessores biológicos mais peludos (primatas e outros mamíferos). Possivelmente, essa reação corporal os fazia parecer maiores e mais assustadores, facilitando a defesa.
- Outras reações: a manutenção da respiração rápida e superficial por muito tempo pode provocar formigamentos e tonturas; o direcionamento do sangue para os músculos pode fazer a pele ficar mais pálida e eventualmente fria; as funções intestinais, sexuais e urinárias são geralmente interrompidas (com eventuais variações).

Aqui está a base de muitos sintomas que os ansiosos conhecem muito bem. Diante de um risco, o cérebro dispara um alarme (vindo de uma região cerebral específica chamada amígdala, guarde esse nome) que aciona diversas mudanças físicas, emocionais e comportamentais.

Em português, usamos a expressão "resposta de luta ou fuga" para denominar esse estado, em uma alusão à dicotomia de conduta diante do medo, pois sentimos que só há duas opções: a de enfrentamento (luta) ou a de esquiva (fuga). Os americanos também têm uma expressão melódica para isso: "*Fight or fligth*", que quer dizer "lute ou voe". Voar aqui também tem o sentido de escapar. As expressões nos dois idiomas são felizes em mostrar que, seja qual for sua escolha, a preparação do corpo-mente será de acordo. O cérebro precisa convocar rapidamente vários órgãos e tecidos para uma situação de urgência, com necessidade de uma resposta rápida e vigorosa.

É interessante notar que o sistema funciona em série e tem um limiar de ocorrência. O cérebro percebe um risco baseado em seus sensores, seus instintos e sua memória. Por exemplo, lugares escuros, com sons de rangidos de portas e vultos passando pelos cantos me dão medo. O medo me prepara para lutar ou para fugir. Esse medo se baseia em experiências prévias e em critérios instintivos da espécie. Não precisamos ensinar ninguém a ter medo de altura ou de animais selvagens ou de sustos intimidadores – esses são medos quase universais.

Tudo bem, mas que tipo de preparação o medo propicia? Diante do risco, o cérebro dispara um comando que segue por duas vias importantes.

1. Ativação dos nervos do sistema simpático.

Existe um sistema de nervos distribuídos pelo corpo chamado de "sistema autônomo". Esse sistema regula o ritmo do coração e da respiração, o funcionamento intestinal, a troca de calor, a troca de pele, entre outras coisas. Como sabemos, todas essas ações são involuntárias, ocorrendo sem nossa vontade consciente. Isso acontece porque o cérebro regula esse sistema de forma automática, de acordo com a necessidade do momento. O sistema autônomo pode ser dividido em duas partes: o chamado sistema simpático, que ativa os órgãos para uma situação emergencial, e o chamado sistema parassimpático, que tem efeito contrário, voltando-se às atividades de funcionamento normal, próprias do organismo fora de risco ou em repouso.

Existe um constante balanço entre os dois sistemas, havendo predomínio ora de um, ora de outro, dependendo da situação. Diante de alguma tensão, predomina o sistema simpático; durante a calmaria, predomina o parassimpático. De modo geral, nos transtornos de ansiedade há uma perturbação nesse equilíbrio, pois existe uma ativação excessiva do sistema simpático, uma hiperatividade desse sistema que ativa o alerta do organismo, com reações corporais exageradas e fora de contexto. Por isso dizemos que nesses casos há um quadro de disautonomia, o que significa desbalanço no sistema autônomo.

O cérebro ansioso

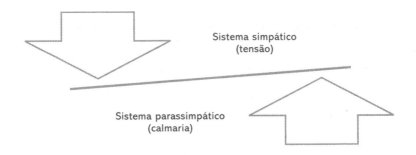

Sistema autônomo simpático vs. parassimpático

2. Liberação de hormônios pela glândula suprarrenal.

Além de ativação dos nervos do sistema simpático, em um quadro de ansiedade existe também a secreção de substâncias no sangue, feita pela glândula suprarrenal, ou adrenal. Essa pequena glândula, que, como o nome diz, fica na parte superior de cada um dos rins, libera hormônios relacionados ao estresse, tais como adrenalina e cortisol. Isso também impacta o funcionamento dos órgãos, que se modificam para conseguir um ganho provisório de rendimento, algo fundamental em uma situação de enfrentamento ou fuga.

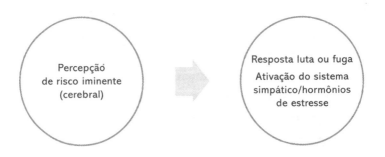

Resposta da reação de luta ou fuga no corpo

A adrenalina e o cortisol preparam quase imediatamente o corpo para o inevitável estresse agudo. Com todas essas alterações, diante de um risco não seria melhor manter a calma e raciocinar? Provavelmente, não. Lembre-se de que o corpo desenvolveu esses mecanismos para situações como a do nosso exemplo, e os que permaneceram calmos viraram comida de leão e não transmitiram seus genes (é assim que funciona a seleção natural). O sistema em "modo adrenalina" mostrou-se superior na fase aguda, mas insustentável cronicamente. Fisicamente, o corpo do nosso ancestral está pronto para correr ou para lutar, mas ainda precisa fazer a escolha cognitiva entre os dois. Vamos analisar o contexto psíquico e cognitivo desse estado alternativo.

Mudanças psíquicas

- Medo: se tivéssemos que adivinhar o que alguém sente ao dar de cara com um leão solto na natureza, muito provavelmente a resposta seria medo. Como se trata de um exemplo extremo, nesse caso estamos falando de um medo muito intenso, descrito como pavor, terror, pânico – uma sensação psíquica desagradável, mal definida, sentida na cabeça, no peito, na pele. O medo é o substrato psíquico da percepção de risco, gerando a necessidade de proteção, de fugir ou correr de determinada situação. Temos medo de coisas reais e imaginárias. Alguns, inclusive, sentem medo de ter medo, um paradoxo que muitos ansiosos conhecem bem e que debateremos mais adiante neste livro.

- Angústia: eis aqui outro termo que descreve uma questão psíquica envolta em situações urgentes. A angústia é um desconforto físico e mental que provoca inquietação e clama por um alívio rápido. É uma espécie de "coceira emocional", que

O cérebro ansioso

exige um comportamento compatível. É uma tensão antecipatória, como sentir que algo está prestes a ocorrer. E, nesse caso, realmente está. Alguns a descrevem como uma sensação plenamente mental, outros, como sensação física, apontando para o tórax ou para a barriga.

- Sensação de morte iminente: aqui está outra provável descrição psíquica de algo que pode ter passado na cabeça do nosso ancestral. E parece justo! A sensação de que a vida está em jogo é muito frequente em situações de emergência, e não há bem mais precioso para nós, mortais. Quando a vida está em risco, tudo perde importância, e nosso comportamento volta-se apenas para a situação-limite.

Mudanças cognitivas

Além das mudanças físicas e psíquicas, o modo luta ou fuga traz também adaptações cognitivas, que dizem respeito a como raciocinamos.

O cérebro da urgência raciocina de modo diferente do cérebro tranquilo. A prioridade aqui é a tomada rápida de decisão, não a reflexão e a ponderação. O tempo é um fator crítico. A pior opção é morrer refletindo, testando hipóteses mentais, calculando rotas. Em situações de risco, a conduta precisa ser instintiva e impulsiva.

Eis um conceito da maior importância para a compreensão de parte desta obra. O melhor rendimento cerebral é alcançado ativando o modo certo na situação certa! Ativar o modo urgência em situações cotidianas normais (sem urgência) produz resultados cognitivos ruins, gerando preocupação excessiva, cansaço, irritabilidade e impulsividade totalmente fora de contexto. Da mesma forma, deixar de ativar o modo alternativo (de urgência) diante do estresse agudo também ocasiona perda de função, atrasando a resposta e a reação. Diante do risco, nosso cérebro precisa estar hiperfocado, desconectado de outros pensamentos e reflexões, além de impulsivo e emocional, para decidir e bancar a decisão sem vacilar. A hesitação é a principal *causa mortis* da emergência. A arte de decidir rapidamente – sem informações completas, sem projeções de resultados – é arriscada, mas importante em diversas situações.

No nosso exemplo, uma fração de segundo levará nosso personagem ao confronto físico ou à tentativa de escapar – ele deverá escolher o melhor golpe, a melhor defesa, o melhor lado para sair correndo etc. Qualquer decisão que tomar precisará ser a única, a certeira, pois a dúvida não é uma opção.

Ufa! Complexa essa história de luta ou fuga? Calma! Tome consciência do seu sistema autônomo e respire, porque tudo vai se complicar um pouquinho mais adiante.

Vamos resumir a ópera:

1. O cérebro percebeu e quantificou o risco: um leão significa risco iminente de morte.

2. Essa descoberta desencadeou uma resposta tripla: física, psíquica e cognitiva, colocando o corpo em um modo alternativo, comandado pela reação de luta ou fuga.

3. A resposta do sistema simpático alterou parâmetros cardiovasculares, respiratórios, musculares, oculares e cutâneos. Transmitiu medo e senso de urgência, causando um desconforto angustiante que favorece a mudança de comportamento.

4. O cérebro desligou a racionalidade analítica e ponderada em prol de uma racionalidade impulsiva, mantendo a pessoa resolutiva, decidida e rápida.

O cérebro ansioso

É curioso notar que esse grande pacote de modificações está presente, de alguma forma, em vários animais, principalmente entre mamíferos, revelando ser um ganho evolutivo presente também em outras espécies.

O limiar do risco

Como em toda modificação, existe um limiar de evocação, um ponto a partir do qual o cérebro se sente ameaçado. Além desse limiar, existe uma proporção de resposta. Nosso exemplo foi catastrófico, mas será que a resposta pode ser mais comedida? Outro aspecto é a duração dessa resposta, que geralmente dura de segundos a poucos minutos, uma vez que o sistema é biologicamente insustentável a médio e longo prazo.

Por fim, e mais importante, fica a pergunta: acionar o sistema foi útil para alguma finalidade? Ou seja, valeu a pena? Com esses quatro parâmetros iremos diferenciar a ansiedade natural (fisiológica e boazinha) da ansiedade patológica (com suas várias faces):

1. O risco é real?
2. A resposta é proporcional em intensidade?
3. A duração é compatível?
4. Valeu a pena? Justificou o grau de ajuste?

Se a resposta for "sim" ou "provavelmente sim" para os quatro itens, você deve estar diante de uma resposta saudável. Se for "não" ou "provavelmente não", opa! Pode ser que o sistema esteja desregulado.

Agora, o que será que aconteceu com nosso projeto de herói ancestral? Será que ele voltou para casa nesse dia e jantou com seus filhos na caverna? Como você, eu também não faço ideia do resultado. Mas uma coisa é certa: o sistema luta ou fuga aumentou suas chances de sobreviver! Seja lutando, seja correndo, a resposta compatível e proporcional à urgência o tornou mais competitivo. Tanto que os genes desse ancestral estão por aí, nos indivíduos da nossa sociedade, sendo ativados por outros "leões" mais modernos e justificando a ocorrência de um conjunto de transtornos que são o tema deste livro.

Vamos aproveitar o trem da história e conhecer a de Camila, que se passa algumas dezenas de milhares de anos depois do nosso exemplo anterior.

Camila tem 19 anos, estuda arquitetura e mora em São Paulo, com os pais. Procurou-me no consultório em 2016, em uma véspera de feriado. Era uma menina bonita e cheia de vida, com olhos brilhantes e escuros, cabelos na altura do ombro, com luzes ou algo assim. Era muito comunicativa, estava empolgada com o segundo ano da faculdade e me parecia numa fase feliz. No começo, achei que me contaria sobre uma crise de enxaqueca, mas errei dessa vez:

Te procuro porque semana passada aconteceu algo muito estranho comigo. Pela manhã, tomei meu café como de costume, saí de casa apressada para ir à faculdade, caminhei uns três quarteirões até o metrô. Usava um fone de ouvido e mochila nas costas, só de um lado, para variar. Empaquei uns minutinhos na catraca, meu bilhete não passava de jeito nenhum. Corri para alcançar o metrô na plataforma, nada de mais. O vagão estava meio cheio, mas não lotado. A porta fechou, começou meu martírio. Senti

O cérebro ansioso

uma leve tontura, ajeitei o corpo e segurei no suporte. O trem seguiu firme e forte. Eu, nem tanto. Minha visão ficou levemente turva, o ar me faltou. Nunca tive asma, mas imagino que seja similar: parecia que meu pulmão tinha encolhido dentro do peito. Meu coração acompanhou minha respiração frenética e superficial e acelerou, forte e inquieto. Eu esperava o contrário, logo agora que parei de correr. Mas meu corpo esquentava e se atiçava de dentro para fora. Os sintomas físicos só aumentavam. Eu queria sair dali, sabe Deus para onde. Estava tendo um AVC, uma arritmia, um infarto? Eu não estava nada bem. Senti um aperto no peito e levei a mão fechada na altura do coração. Para atenuar o movimento esquisito, aproveitei e ajustei a alça da mochila nos dois braços. Então, minha mente também me abandonou. Senti um arrepio no cérebro, uma sensação de que iria perder o controle do corpo. Bateu o desespero. Senti medo, muito medo de tudo, na verdade de nada, era só medo. Fitei minhas mãos, trêmulas e úmidas, abri e fechei os dedos. Achei que não era um AVC, pelo menos. Meus lábios formigavam. Meu coração piorou, resolveu bater na garganta. Foram minutos no inferno. Algumas pessoas notavam meu desconforto, e observavam, tensas, sem se envolver, outras seguiam sua rotina focadas no seu próprio cansaço matinal. Eis que escuto uma voz bem familiar à distância: "Estação Ana Rosa, saída pelo lado direito do trem". E por ali mesmo eu segui...

Pausa para reflexão. Camila era uma jovem aparentemente saudável, tocando sua vida em uma metrópole. Eis que, sem mais nem menos teve uma crise aguda de ansiedade, que, como você deve já ter imaginado, chamamos de crise de pânico. Através do acionamento de nervos e da liberação de adrenalina e cortisol, seu cérebro disparou uma cadeia de reações que gerou uma resposta física totalmente desagradável e sem propósito aparente. O que diferencia a situação de Camila do exemplo de nosso ancestral? Um detalhe: o leão! Sem o leão a equação não fecha. A ocorrência de ser reacional perde sua função, e vira doença. Durante a consulta, procurei a todo custo o que poderia ter desencadeado a crise, mas sem sucesso. Perguntei se o trem havia feito um ruído esquisito, se algum passageiro parecia intimidador, se naquele dia alguma coisa fora do cotidiano estava prevista na faculdade. Pensei brevemente se algo poderia ter ocorrido com o pó do café que ela tinha tomado pela manhã, se a parada na catraca do metrô poderia tê-la tirado do eixo ou mesmo se a corridinha até a plataforma pudesse ter iniciado a sensação de falta de ar. Mas, ainda sim, a crise se mostrou absolutamente desproporcional.

Esse exemplo é intenso, agudo e evidente. Discutiremos a síndrome do pânico – uma das formas mais avassaladoras de ansiedade patológica – mais à frente. Por ora, o importante é mostrar a tríade de sintomas e seu contexto de aparecimento. Camila teve sintomas físicos, psíquicos e cognitivos. Eis a forma como a ansiedade se apresenta. Sua crise foi aguda e agressiva. Em relação ao contexto, houve uma resposta excessiva, prolongada, sem motivo aparente e que não trouxe vantagem nenhuma. Só sofrimento, tensão e uma conduta incorreta, afinal, ela teve que descer na estação errada.

Aprenderemos no decorrer desta obra que a ansiedade se mostra de várias formas. A composição de sintomas varia muito de um caso para o outro, mas essa essência estará sempre lá. A ansiedade patológica conectará você de forma intensa com o futuro, maximizará os riscos e gerará respostas prejudiciais.

O cérebro ansioso

Mas chega de reflexão, quero contar como termina esse trecho da história de Camila, pois este eu sei como evoluiu:

Saltei quatro estações antes. Segui incomodada até que um funcionário me levou para o ambulatório. Recebi oxigênio e mediram minha pressão. Meu coração batucava a 120, segundo um aparelhinho com um visor vermelho colocado no meu dedo, que indicava que a oxigenação estava 96 por cento – boa, segundo a enfermeira. "Respire fundo e devagar, se acalme, levante as pernas, tudo vai ficar bem." Eu ouvia isso repetidamente e tentava obedecer. Fui encaminhada a um pronto-socorro próximo, cheguei lá de ambulância e um pouco melhor. Fiz um eletrocardiograma e recebi um comprimido branco e pequeno. Sono e paz, enfim. Fim da crise, mas só o começo do meu sofrimento. O médico, gentil, me liberou, me tranquilizou e sugeriu que eu procurasse a ajuda de um psiquiatra, um psicólogo ou um clínico geral de confiança. Liguei para a minha mãe e voltei para casa sem ir à faculdade aquele dia. Desde então me sinto insegura, assustada, quero tudo, menos sentir aquilo outra vez. Não consigo nem imaginar entrar novamente em um metrô, tenho usado táxi ou carona. Estou tentando retomar, aos poucos, minha rotina. Mas não é a mesma coisa.

A crise aguda passou, mas a experiência mudou Camila. Confiamos no nosso corpo e nos nossos sentidos. Esperamos ajustes compatíveis e proporcionais ao contexto. Conhecemos bem nosso cérebro racional. Uma crise dessas é um golpe duro de absorver. Ela nos confronta com uma grande força da natureza: "Muito prazer, sou seu cérebro primitivo, instintivo e emocional. Se eu resolver dar as cartas, já era".

É interessante considerar, ainda com relação ao caso de Camila, que ela já tinha certa tendência à ansiedade antes desse evento. Nossa conversa progrediu nessa e em outras consultas. Ela me contou que sempre foi mais tensa que as outras pessoas e que sofria um pouco por antecipação, mesmo diante de eventos positivos, como festas e viagens. Perdia o sono com facilidade por ficar refletindo sobre as ocorrências do dia anterior ou do dia seguinte. Bom, vamos ouvir as palavras dela:

> Lembro de sentir minhas mãos trêmulas e geladas quando precisava falar em público. Meu cérebro parecia sempre estar a mil, preocupado com as alternativas e variáveis. Me acho um pouco controladora. Me adianto às ocorrências e faço algumas projeções catastróficas: E se chover? E se ninguém for? E se não gostarem de mim? Meu cérebro tem uma lupa para problemas. Sou uma boa aluna, mas tenho brancos eventuais em provas, meu intestino fica esquisito, gosto de morder os lábios e roer as unhas. Acho que normal, *normal*, nunca fui.

Eis aqui sintomas e mais sintomas físicos, psíquicos e cognitivos de ansiedade (nossa tríade). Mas, embora ela já mostrasse uma tendência e uma expressão ansiosa, no dia a dia o padrão era mais suave, mais crônico e relativamente direcionado, ainda que já um pouco desproporcional.

A ansiedade está no cérebro ou no corpo?

Essa pergunta agora está fácil de responder! A ansiedade está no cérebro. Mas nem sempre foi assim tão óbvio. Durante

O cérebro ansioso

grande parte da história da humanidade o conceito de que as emoções eram gerenciadas pelo coração predominou. Ainda hoje, essa visão, que chamamos de cardiocentrista (que significa "coração no centro"), tem muita influência no imaginário coletivo. E podemos entender de onde surgiu. Nossas emoções, boas ou ruins, passam por muita percepção física. Sentimos na pele, na espinha e no peito. Quando o tórax se inquieta, percebemos que algo importante está acontecendo ou prestes a acontecer.

Um dos primeiros grandes divulgadores da teoria de que o cérebro seria a sede da razão e o coração seria a sede das emoções foi o influente filósofo grego Platão, que viveu algumas centenas de anos antes de Cristo. Na mitologia grega existia, inclusive, um ser simpático e perigoso que atirava (alguns dizem que ainda atira) flechas no coração dos outros, gerando uma paixão instantânea e avassaladora. O Cupido é a personificação do amor, e seu alvo deveria ser o cérebro.

O tempo foi passando e esse papo de cardiocentrismo resistiu bravamente. Visto como órgão vital (o que realmente é), o símbolo do coração foi sempre cultivado. É esse o órgão oferecido aos apaixonados, aos amedrontados, aos raivosos e aos heróis. Quem não conhece o filme *Coração valente* (1995), com Mel Gibson? Não seria mais adequado *Cérebro valente*? Está bem, concordo que soou estranho...

Mas essa nossa discussão não é mera curiosidade histórica; precisamos entender onde a ansiedade nasce e qual é a sua cadeia de eventos. Mesmo suas manifestações mais sentidas no corpo precisam ser referenciadas no cérebro. Isso é fundamental para virarmos o holofote para a fonte – para a causa e não para a consequência.

Ansiedade do bem *vs.* ansiedade do mal

VOCÊ CONHECE A SÍNDROME DO CORAÇÃO IRRITÁVEL?

Esse termo foi cunhado na segunda metade do século XIX para explicar sintomas que se desenvolviam em ex-combatentes da Guerra Civil Americana. Eram inúmeros os casos de homens aparentemente saudáveis que apresentavam palpitações, aperto no peito, falta de ar, fadiga e esgotamento físico e psíquico. Alguns eram atormentados por pesadelos, pensamentos catastróficos e medo excessivo.

Na época, ainda sob o conceito de que esse tipo de manifestação era gerado no corpo, e não na mente, colocavam como órgão de vulnerabilidade um coração que havia sofrido no *front*.

É curioso notar que anos depois surgiu a descrição de uma doença hoje bem conhecida e comum, chamada de síndrome do intestino irritável (causadora de desconfortos abdominais, diarreias e obstipação intestinal, sem causa anatômica aparente). Essa síndrome intestinal pode surgir em outros contextos, mas frequentemente se associa também a quadros ansiosos.

Mas voltando ao coração irritável, hoje se imagina que os soldados apresentavam sintomas do que atualmente consideramos síndrome do pânico (SP), transtorno de ansiedade generalizada (TAG) e síndrome do estresse pós-traumático (SEPT), termos que surgiram um século depois desses acontecimentos. Não importa o nome, o órgão que adoeceu primariamente foi o cérebro dos combatentes – este, sim, se tornou irritável, massacrado com perdas, medo, risco, proximidade da morte –, evoluindo para um descontrole da quantificação de risco. A causa do adoecimento foi provavelmente multifatorial, incluindo questões genéticas, história de vida, exposições, entre outras.

O cérebro ansioso

No século xx, as coisas mudaram, e muito. Foi o século do cérebro! Após relevantes avanços científicos na compreensão de parte de seu funcionamento, o conceito de que ele seria o controlador da racionalidade e de inúmeras questões físicas e emocionais se fortaleceu. A psicologia, a psiquiatria e a neurologia sentaram na mesma mesa, buscaram entendimentos e uma linguagem comum, afinal, o objeto de estudo era a mesma mente. Os alicerces do conceito de psicossomática ficaram mais claros. Os transtornos de ansiedade foram mais bem descritos e classificados, colocando um pouco de ordem e facilitando o diálogo entre diversas áreas do conhecimento. O cérebro foi finalmente colocado no centro, como um grande maestro do organismo – e, portanto, como culpado pelos crimes de ansiedade.

Hoje sabemos que a gênese da ansiedade depende da interação e da interpretação de diversas regiões cerebrais. Ela é fruto da análise de risco, relevância e prioridade feita principalmente por estruturas profundas e relativamente primitivas do cérebro – a principal estrutura responde pelo nome de amígdala (olha ela outra vez aí). Essa amígdala não tem nada a ver com aquela famosa amígdala que fica na garganta e que algumas pessoas retiram na infância. Aqui se trata da amígdala cerebral, que fica dentro de uma região chamada lobo temporal. Essa pequena região parece ser crítica para gerenciar o medo, participando de importantes circuitos de memória, controle emocional e impulsos. É o famoso sistema límbico.

Ansiedade do bem vs. ansiedade do mal

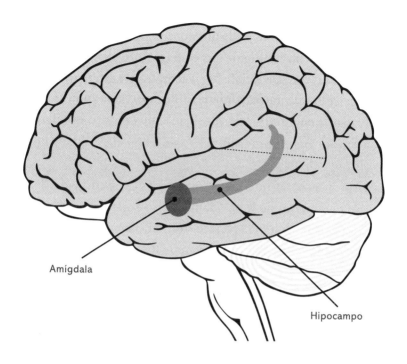

Localização da amígdala no cérebro

A análise da situação e da resposta comportamental não é feita ao acaso, ela é fruto da análise cerebral feita da compilação da informação de três sistemas integrados:

1. Nossos sensores externos. Nosso cérebro é continuamente informado do que acontece ao seu redor através dos órgãos de sentido, a saber: visão (luz), audição (som), paladar (gosto), olfato (cheiro), tato (toque) e labirinto (movimento). Esse conjunto de informações é processado

O cérebro ansioso

a todo momento e pode auxiliar na percepção de que algo se alterou no ambiente ou que estamos diante de algum risco real ou potencial. Por exemplo: sinto cheiro de gás, preciso ficar atento! Sinto gosto de comida estragada, opa! Nada de engolir. Sinto que o ambiente está escuro demais, atenção! Barulho de sirene? Algo talvez não vá bem, e assim por diante.

2. Nossos sensores internos. Nosso cérebro é informado de vários parâmetros do funcionamento do organismo, tais como: temperatura interna, pressão arterial, ritmo cardíaco, posicionamento dos membros, grau de fome, sono, entre outros. Esses sensores podem captar modificações internas e também gerar preocupações, tensão e mudanças de comportamento em determinados contextos.

3. Nossas memórias. O cérebro tem um imenso e complicado arquivo de experiências prévias, vividas anteriormente, aprendidas, sonhadas ou mesmo imaginadas. Nosso cérebro carrega uma grande quantidade de informações que serão consultadas diante de uma determinada experiência sensitiva. Ele buscará referências para julgar se a situação oferece perigo ou não. É muito importante frisar que carregamos memórias mais conscientes (que sabemos que temos e que vivemos) e também memórias menos conscientes, que não temos clareza de onde vieram, mas que estão lá, modificando nosso comportamento (chamamos estas de "memórias implícitas"). Parte de nossos temores é também fruto de uma memória biológica, que adquirimos pela própria evolução da espécie, sem que nos tenham sido ensinados ou vivenciados anteriormente. Voltaremos a isso quando falarmos de fobias.

Ansiedade do bem vs. ansiedade do mal

Antes de definir sua postura diante de uma ocorrência, o cérebro irá confrontar a informação dos seus sensores internos e externos com as informações de seu conhecimento prévio de mundo (suas memórias). Aliado a isso, irá usar seu raciocínio, bom senso, perfil emocional e intuição a fim de definir se entrará em modo luta ou fuga ou não, além de decidir a intensidade e a velocidade dessa resposta.

Vou me valer novamente de alguns exemplos cotidianos para discutirmos a fonte da resposta ansiosa.

- Situação A: Estou andando calmamente por uma rua no meu bairro. Eis que entro em uma rua mais escura, que não conhecia, sem pedestres, com pichações suspeitas, caçambas de lixo, enfim. Meu corpo se altera e sigo mais apreensivo. Meus sensores me sinalizam um contexto potencialmente perigoso.
- Situação B: Certa vez fiquei preso com meu carro em uma grande enchente, com o veículo em pane. Hoje, três anos depois, estava dirigindo tranquilamente, eis que escuto um trovão. Opa, sinto-me tenso e um pouco amedrontado. Meus sensores sinalizam potencial de chuva, e minha memória sinaliza potencial de problemas.

Note que nas duas situações eu senti medo e gerei a resposta luta ou fuga, discretamente. Foram exemplos de ansiedade fisiológica, positiva e normal. Seja pelos sensores, seja pela memória, meu corpo anteviu o estresse e se preparou. Na situação A, o medo veio do contexto sensorial aliado ao meu bom senso. Na situação B, o medo se originou da minha interpretação sensorial aliada à minha lembrança traumática. Além das respostas físicas

O cérebro ansioso

(adrenalina) e emocionais (receio e medo), houve uma adaptação cognitiva (aumento do foco e da sensibilidade sensorial). Note como o julgamento partiu de conceitos gerais e sensoriais, atrelados a conceitos individuais e de história pessoal de vida.

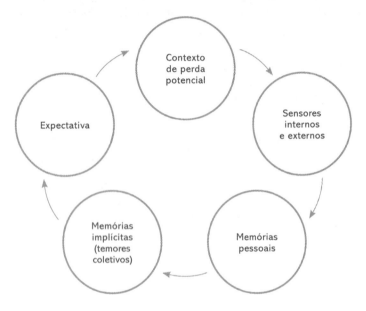

Gatilhos da ansiedade normal

Em uma interpretação simplista, temos que:
- Nossos sensores do mundo externo ativam regiões sensitivas espalhadas pelas camadas mais superficiais do cérebro (chamadas de córtex cerebral), como mostra a imagem a seguir.
- As informações sensitivas são rapidamente comparadas com memórias vividas e informações aprendidas durante a vida. Às vezes, mal dá tempo de fazer isso: diante de uma situação obviamente perigosa, o cérebro já começa a disparar respostas reflexas e quase instantâneas.

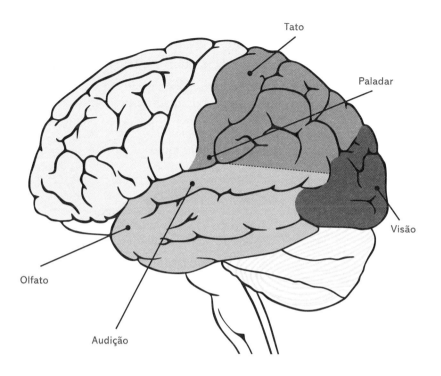

Regiões cerebrais que ativam os sentidos

- A amígdala cerebral é ativada e julga se a situação é emergencial e preocupante ou não. Caso julgue a situação urgente, irá ativar o sistema autônomo, que, por sua vez, ativa a resposta ao estresse por meio do sistema simpático.
- Muitas outras estruturas participam dessa progressão de ocorrências cerebrais para ativar o sistema autônomo. Por exemplo: a amígdala irá contar com a ajuda do hipotálamo, uma importante estrutura profunda e central no cérebro que controla (direta ou indiretamente) algumas glândulas, como a famosa hipófise, que, por sua vez, comanda a adrenal ou suprarrenal

O cérebro ansioso

(Lembra-se dela? É a glândula que produz o cortisol e a adrenalina.) O hipotálamo também ativa o sistema de nervos do sistema simpático. Note como a posição do hipotálamo e a da hipófise (glândula mestra do corpo) são estrategicamente próximas e ficam relativamente perto da amígdala, formando um circuito de controle emocional muito importante.

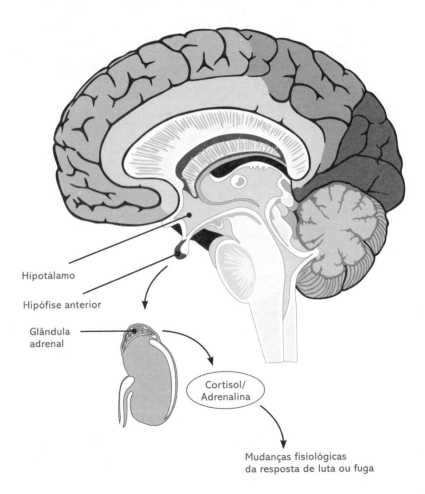

Posição do hipotálamo e da hipófise no cérebro

O cérebro foi alertado pelos sensores e pelas memórias. A amígdala ativou o hipotálamo, que gerou respostas no corpo inteiro. Os mesmos sensores (olhos, ouvidos, nariz) que iniciaram a resposta passam a ficar mais ativos, pois na ansiedade o cérebro fica ainda mais atento e perceptivo ao motivo do estresse, amplificando a resposta cada vez mais.

Quando tudo funciona bem, o sistema é útil e fundamental. Quando funciona mal, o sofrimento pode ser crônico e, em alguns casos intensos, avassalador. E o sistema pode se desregular em diversos pontos. Na ansiedade patológica, o cérebro pode criar medos, amplificar riscos, exacerbar a resposta nos órgãos e gerar síndromes variadas, que serão o tema dos nossos próximos capítulos.

Mas, antes de encerrar esta conversa e seguirmos adiante, quero discutir ainda algumas formas pelas quais o cérebro comanda o corpo. Gostaria de pontuar brevemente as vias de gerenciamento, as alças de intervenção que permitem que a nossa central de comando faça o gerenciamento. Isso é fundamental, pois quando o cérebro vai mal, o corpo tende a ir mal (mente sã, corpo são, lembra?). Quando nossas emoções estão mal gerenciadas, o corpo inteiro pode sentir, provocando, amplificando ou simulando sintomas de doenças físicas.

O cérebro:

- Recebe informações do mundo externo;
- Recebe informações do mundo interno;
- Tem acesso às memórias.

O cérebro ansioso

O que o cérebro pode fazer:

- Controlar os músculos do corpo;
- Controlar o sistema cardiovascular e pulmonar (coração, pressão arterial, distribuição de sangue, oxigenação, ventilação etc.) através do sistema autônomo (simpático e parassimpático);
- Controlar hormônios (através do eixo do hipotálamo, que gere a hipófise, a tireoide, as adrenais e os hormônios sexuais);
- Gerenciar o sistema imunológico (direta ou indiretamente);
- Controlar o comportamento, baseado no contexto presente, nas memórias vividas e na expectativa de futuro (agindo segundo seu complexo sistema de urgência e prioridade).

Realmente não é fácil. Nosso cérebro tem, entre várias missões, a de transcender os problemas momentâneos, expectar e planejar o futuro. Esse sistema de análise de risco e gerenciamento de variáveis é a base da vulnerabilidade humana aos transtornos de ansiedade. Um cérebro ansioso fica inquieto com as alternativas, orbitado pelo fantasma do "E se?", e compromete o presente envolvendo-se com variáveis pouco ou nada prováveis. E de quem é a culpa por tudo isso? Certamente existem vários culpados, desde a genética individual, a evolução da espécie, nosso estilo de vida, nossa imersão em uma sociedade que se alimenta de expectativas, nossas escolhas e vivências pessoais. Mas trataremos dessas questões determinantes mais adiante.

PONTOS IMPORTANTES DESTE CAPÍTULO

- Existe uma resposta padronizada do cérebro que prepara o corpo para situações peculiares. Chamamos essa resposta de reação de luta ou fuga.
- A reação de urgência gera modificações físicas, emocionais e cognitivas.
- A resposta normal tem um contexto, um limiar de aparecimento, uma proporção e uma função clara de proteção.
- Existe uma nítida diferença entre o exemplo do ancestral e o exemplo de Camila, entre a face saudável e a face patológica da ansiedade.
- Nosso cérebro reconhece o perigo através de seus sensores externos e internos, comparados às memórias pregressas e sua herança instintiva de espécie.
- Quando o sistema se desregula, o medo pode surgir de forma equivocada, espontânea e avassaladora, gerando respostas desmedidas.

SINAIS E SINTOMAS DOS DISTÚRBIOS ANSIOSOS

Vamos começar agora um trecho importante da nossa jornada: o reconhecimento dos transtornos de ansiedade. É claro que, para o médico que diagnostica, isso é fundamental, mas é essencial também para que as pessoas possam reconhecer, em si e nos outros, evidências de que algo não vai bem. Com essa consciência, é possível procurar ajuda e iniciar um tratamento adequado.

Os sintomas dos transtornos de ansiedade são inúmeros e podem se manifestar de infinitas formas. Cada sintoma pode surgir com uma intensidade e em momentos específicos para cada paciente. Eles estão divididos, de forma didática, em: sintomas psíquicos (emocionais), sintomas físicos (do corpo) e sintomas cognitivos (da mente). Muitos já foram citados anteriormente, mas acho importante firmar o conceito, uma vez que o reconhecimento deles é a mais preciosa arma de diagnóstico. Após conversarmos um pouco sobre a percepção e a interpretação dos sintomas, iremos discutir as formas clássicas de ansiedade, baseadas nas classificações mais recentes utilizadas pela medicina. Lembre-se de que a ideia não é, de forma

O cérebro ansioso

alguma, incentivar o autodiagnóstico, mas sim propiciar uma ferramenta de autocompreensão para que todos possam ter um papel mais ativo na vigilância e percepção da sua própria ansiedade. É importante frisar que a presença de um ou outro sintoma isolado não quer dizer muita coisa. No diagnóstico precisamos analisar os sintomas associados (o conjunto da obra), a duração, a intensidade e o principal: o impacto na qualidade de vida. Não existe doença psíquica se não houver impacto no rendimento e na qualidade de vida da pessoa afetada e das que a cercam. Essa é a premissa de qualquer diagnóstico. Isso porque todo mundo sente ansiedade, uma vez ou outra, em um contexto ou outro. Só chamaremos de transtorno as formas mais exuberantes e disfuncionais (que atrapalham o rendimento da pessoa).

Gosto de imaginar a ansiedade como um transtorno espectral, ou seja, de um lado temos a ansiedade saudável, amiga, fisiológica e funcional, de outro temos as formas nitidamente patológicas, desagradáveis, e no meio temos inúmeras possibilidades de transtornos mais leves, moderados ou graves, exigindo cautela tanto no diagnóstico como na condução clínica. É importante notar que durante a vida uma pessoa pode transitar dentro desse espectro de possibilidades, estando ora em um polo mais patológico, ora em um polo mais saudável.

Outro ponto é que qualquer análise sobre a ansiedade deverá sempre avaliar o contexto de aparecimento dos sintomas. O mesmo sintoma expresso por alguém, em um contexto, pode ser normal, e em outro contexto, patológico. Por isso, o médico sempre buscará compreender a situação de vida atual e pregressa de quem desenvolveu um transtorno de ansiedade.

Não existem exames capazes de identificar a ansiedade. O diagnóstico é meramente clínico, pautado na interpretação do médico e/ou do psicólogo, baseado em seu conhecimento técnico, sua experiência e suas impressões pessoais diante de determinado caso. Por se tratar de um transtorno espectral, o ponto onde termina a normalidade e onde começa a doença não é tão nítido como se imagina, havendo alguma margem para interpretação.

Resumo da lógica do diagnóstico de ansiedade

- Presença de um conjunto de sinais e sintomas característicos de uma síndrome ansiosa;
- Contexto adequado;
- Intensidade e duração de sintomas compatíveis;
- Impacto na qualidade de vida;
- Afastamento de causas clínicas e outras patologias que justifiquem melhor os sintomas.

O conceito de síndrome

Em medicina, chamamos um conjunto peculiar de sinais e sintomas de síndrome. Esse termo você verá em textos, ouvirá em consultas e lerá em páginas de livros. Em psicologia e psiquiatria, esse conceito é muito importante. Sintomas isolados são de difícil interpretação, principalmente quando o sintoma em si também é sentido por pessoas completamente saudáveis. Todo mundo sente medo, tensão, perde o sono de vez em quando, fica triste, se preocupa com o futuro. Mas a presença frequente, intensa e constante de um grupo de sintomas pode

O cérebro ansioso

ser patológica. Em neurologia aprendi um aforismo que diz: "Não olhe a árvore, olhe a floresta!" Isso é muito importante. O conjunto dos sintomas vale muito mais que o sintoma isolado. O todo, o contexto geral, a avaliação abrangente do paciente irá posicionar o médico no diagnóstico e na conduta a cada momento.

Como dissemos antes, existem diversas síndromes ansiosas: transtorno de ansiedade generalizada (TAG), síndrome do pânico (SP), síndrome do estresse pós-traumático (SEPT), fobia social (FS) etc. Um paciente pode apresentar mais de uma delas, associadamente, seja em épocas diferentes, seja no mesmo momento. Não é nada raro que um paciente com transtorno de ansiedade generalizada tenha uma crise de pânico, assim como pacientes com estresse pós-traumático podem ter fobias, e assim por diante. Ao final deste e do próximo capítulo, você já estará um pouco mais familiarizado com esses termos e a diferença básica entre eles.

Além da associação entre tipos de manifestação da ansiedade, podemos ter pacientes que apresentam outros transtornos psiquiátricos, como depressão, por exemplo, pois elas não são patologias excludentes.

Um último conceito importante nesse tópico: o médico, diante de uma suspeita de transtorno de ansiedade, irá sempre buscar afastar outras causas clínicas que possam explicar melhor os sintomas apresentados, pois algumas doenças podem simular um quadro de ansiedade, crônico ou agudo. Chamamos isso de diagnóstico diferencial.

DOENÇAS QUE PODEM SIMULAR QUADROS DE ANSIEDADE

- **Transtornos hormonais:** problemas na glândula tireoide, principalmente o hipertireoidismo, podem eventualmente gerar sintomas semelhantes aos da ansiedade (taquicardia, angústia, insônia, transpiração excessiva, perda de peso etc.). Algumas doenças mais raras da glândula adrenal (que produz e libera a adrenalina) também podem simular crises de ansiedade.
- **Uso de substâncias estimulantes:** seja em fontes alimentares, como o excesso de cafeína, seja em medicamentos com ação estimulante (bupropiona, sibutramina, metilfenidado etc.) ou drogas ilícitas (cocaína, substâncias alucinógenas). É muito importante avaliar o histórico e o contexto com relação ao uso de substâncias dessa natureza.
- **Abstinência:** além do uso de estimulantes, eventualmente o paciente pode desenvolver sintomas parecidos com a ansiedade na retirada ou redução de algumas substâncias de uso regular.
- **Outras doenças clínicas:** alguns pacientes apresentam sintomas físicos proeminentes, como taquicardia, falta de ar, alterações intestinais, tonturas, problemas de pele etc. Nesses casos é fundamental uma adequada avaliação clínica, de acordo com o tipo de sintoma, para afastar doenças clínicas que se pareçam com os transtornos ansiosos.
- **Outras doenças psiquiátricas:** a ansiedade pode surgir como um sintoma de outras doenças psiquiátricas específicas. Nesses casos, o diagnóstico mais completo e o tratamento da patologia que gerou o sintoma ansioso são altamente recomendados. A ansiedade pode aparecer como sintoma de processos depressivos, transtornos afetivos bipolares, esquizofrenia, entre muitos outros.

Sintomas dos transtornos de ansiedade

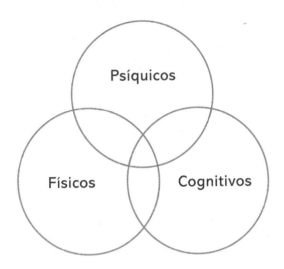

Conjunto de sintomas ansiosos

Sintomas psíquicos

A ansiedade patológica é marcada por diversos sintomas psíquicos. Os pacientes costumam manifestar um elevado grau de tensão e preocupação, que podem ser expressos de forma crônica (como no TAG) ou em crises mais agudas (como na SP), ocorrendo em situações específicas (como nas fobias) ou não.

Sofrimento antecipatório

Como falamos no capítulo anterior, ansiosos sofrem antes da hora. É muito comum ouvir esse tipo de queixa de pacientes e familiares. O cérebro ansioso começa a se angustiar bem antes do evento estressante. Basta a possibilidade de algo dar errado ou sair diferente do esperado para gerar uma cascata de pensamentos e

Sinais e sintomas dos distúrbios ansiosos

sensações premonitórias. A questão nem gira em torno de ser um evento bom ou ruim, mas o simples fato de ser algo importante, inédito ou que mereça certa atenção já pode ser suficiente para levar a perda de sono, alteração intestinal, frio na barriga, pensamentos recorrentes e intrusivos e por aí vai.

É comum também que pessoas ansiosas sofram por problemas que nem sequer existem, que invistam tempo e planejamento em situações futuras hipotéticas e improváveis, buscando um controle total ou quase total de determinadas situações. Com frequência, fazem projeções negativas e catastróficas, sofrendo por alternativas muitas vezes pautadas na possibilidade, mas não na probabilidade, de algo vir a ocorrer. O cérebro fica preso no fenômeno do "E se" e do "Vai que".

É evidente que devemos planejar nosso futuro e refletir sobre alternativas desfavoráveis, minimizando o risco desses desfechos. Mas, no caso de pessoas muito ansiosas, esse ajuste passa do ponto. Tensão exagerada leva a baixa de rendimento, dificuldade de sentir prazer e incapacidade de estar tranquilo e pleno de si no "dia D".

Pelo fato de não conseguirem relaxar e estarem sempre resolvendo situações ou refletindo sobre determinado acontecimento, é comum que os ansiosos se sintam cansados. A conexão com as possibilidades do futuro leva à desconexão com o tempo presente. Por isso, eles podem se mostrar desatentos, irritados e, por vezes, desesperados sem motivo aparente. O sofrimento antecipatório fica muito evidente quando passa a se manifestar em situações banais do dia a dia, como, por exemplo, sentir-se mal e fazer projeções negativas quando alguém não responde imediatamente a uma mensagem no celular.

Amplificação do estresse

Eis aqui um evento quase universal da ansiedade patológica. Não só há um sofrimento antecipado como há uma percepção amplificada do estresse. O cérebro do ansioso, hiperfocado em problemas reais ou potenciais, sofre com uma espécie de "efeito lupa", que aumenta pequenas dificuldades, fazendo-as parecerem obstáculos intransponíveis. Os ansiosos fazem descrições dramáticas e exageradas de questões cotidianas ou de dificuldades naturais a determinadas situações. Para uma pessoa ansiosa, um problema pequeno ou uma discussão boba podem se transformar em questões insolúveis ou verdadeiras catástrofes.

Essa amplificação é fruto do estado hiperalerta da ansiedade. A tensão antecipatória e o foco enviesado no que pode dar errado tornam a pessoa muito sensível ao estresse. Com isso, o sofrimento é demasiado, e a reação, maximizada. Isso não é nada bom, na maioria das vezes, pois a resposta exagerada quase sempre ajuda a piorar o problema, não a resolvê-lo. Pense em um elástico frouxo em comparação com um elástico bem esticado. Uma pessoa muito ansiosa seria o elástico esticado – sensível e altamente responsivo a qualquer perturbação.

Essa hipersensibilidade pode ter como alvo e até amplificar o próprio processo ansioso, agravando-o absurdamente em algumas situações. Vamos refletir um pouco sobre isso. Pense em uma pessoa que tem medo de ter um infarto ou uma arritmia, por exemplo. Certo dia, ela percebe seu coração bater um pouco mais forte ou um pouco mais acelerado do que o normal. A própria percepção desse pequeno evento possivelmente sem importância pode gerar ansiedade, levando o coração a acelerar ainda mais, e gerando um círculo vicioso que pode culminar em crises mais intensas. O mesmo pode ocorrer com outros sintomas físicos e psíquicos nos quais a tendência de se preocupar aumenta o sintoma, gerando um efeito dominó que agrava a sintomatologia e piora a ansiedade.

Isso vale também para situações do dia a dia, quando a preocupação excessiva pode levar o ansioso a valorizar pequenas perturbações e gerar um franco aumento dos pensamentos ansiosos. Vamos a um exemplo extremo disso.

Certa vez, um jovem de 14 anos me contou que enviou uma mensagem de texto para a mãe no horário em que ela saía do trabalho. Ela respondeu que estava entrando no metrô. Logo depois, ele enviou uma segunda mensagem, perguntando a que horas ela chegaria. Dentro do metrô, a mensagem nem sequer chegou ao celular da mãe. Cinco minutos depois, ele estava tenso e preocupado. Resolveu ligar a televisão em um daqueles programas de tragédias e violência urbana. Logo acabou assistindo a uma matéria sobre a fuga de dois presos de uma delegacia no interior do estado (a cerca de 800 quilômetros da capital). Um dos presos cumpria pena por sequestro. Pronto, as coisas agora pareciam fazer todo o sentido! O jovem entrou em desespero de vez. Seu cérebro ansioso fez associações improváveis para justificar seu sofrimento antecipatório. A racionalidade deu lugar à ansiedade franca e desmedida. Ele passou a enviar mensagens a cada cinco segundos. Logo que o metrô passou pela superfície, a mãe recebeu 26 mensagens desesperadas do filho ansioso.

Aqui, percebemos o poder de um cérebro ansioso, que se apega aos seus medos e busca evidências que corroborem sua insegurança. Com isso, criam-se inimigos e fantasmas imaginários, que consomem uma boa parcela de energia da pessoa e a levam a adotar comportamentos impulsivos e emocionais. Toda essa amplificação e antecipação são involuntárias, não propositais e muitas vezes incontroláveis. O indivíduo pode até ter certa consciência de que suas percepções estão amplificadas, mas, sem ajuda, tem poucas ferramentas de enfrentamento e pode acabar por desenvolver saídas disfuncionais como evitação, compulsões, tiques, entre outros comportamentos patológicos relacionados.

O cérebro ansioso

Uma vez vi uma camiseta que fazia referência a uma frase do Charlie Brown (personagem dos Peanuts criado por Charles M. Schulz):

MINHAS ANSIEDADES TÊM ANSIEDADES.

Achei uma reflexão legal, na medida em que referencia como a ansiedade se alimenta dela mesma, gerando uma espiral de amplificação dos sintomas.

Medo e insegurança

O medo é um sentimento universal de proteção, e é positivo quando o risco é adequadamente mensurado. Por outro lado, o medo demasiado paralisa, impede o indivíduo de sair de sua zona de conforto, não permitindo sua evolução além do limite de uma falsa segurança. Muitos transtornos de ansiedade trazem em comum a disfunção do gerenciamento do medo. Ansiosos podem temer situações cotidianas, manifestando desconforto e não conseguindo enfrentar situações normais do convívio em sociedade. O medo extremo é a principal algema da ansiedade, pois apresenta apenas alternativas covardes e conservadoras e impede que se siga adiante.

Assim como a ansiedade tem várias caras, o medo causado por esse transtorno também pode ter várias facetas: pode ser específico (como medo de altura, de insetos ou de convívio social), pode ser um medo difuso (como medo da morte, do envelhecimento, da perda da lucidez, de doenças), ou até um medo do próprio medo. E isso acontece com frequência em casos mais intensos de ansiedade: a pessoa passa a ter medo de se sentir ansiosa, evitando situações propícias à ocorrência de desconforto, com poucas rotas de fuga, em que se sente vulnerável. O medo da vulnerabilidade ao medo é conhecido como agorafobia. Esse termo indica uma complicação clássica do transtorno de pânico (falaremos sobre ele no próximo capítulo), na

Sinais e sintomas dos distúrbios ansiosos

qual o paciente evita aglomerações de pessoas, locais com poucas saídas, entre outras situações peculiares, mas pode surgir também em outros eventos. Quando se tem medo do medo, você entra na pior das escravidões. Evolui de um desconforto episódico (eventual) para o desconforto crônico (contínuo), sorrateiro e angustiante da ansiedade antecipatória e da resposta de esquiva. Se antes a resposta era de luta ou fuga, agora é apenas de fuga, mesmo antes do risco – o que pode acarretar isolamento, frustração e depressão.

Os medos nos transtornos ansiosos podem ser adquiridos por vivências negativas anteriores ou por um terror imaginativo geral de questões aprendidas, imaginadas ou de imaginário coletivo.

Por vezes, recebo pacientes que subiram doze andares de escada por não conseguirem entrar em um elevador, ou que precisaram de anestesia geral para submeter-se a um exame de ressonância devido à claustrofobia, o famoso medo de lugares fechados. Pacientes com fobia social podem desenvolver medo de exposição e de interação com outras pessoas, maximizando impressões de julgamento e evoluindo com francas dificuldades.

As vias cerebrais do medo ficam bastante disfuncionais nos principais transtornos ansiosos. A amígdala, nesses casos, parece ter seu limiar alterado, e seus alvos por vezes não são usuais nem racionais. Sua relação com a circuitaria de memória, gerenciamento das emoções e da resposta comportamental fica desbalanceada, elevando o medo a um *status* de bloqueio, não de desafio, cuidado e enfrentamento.

Irritabilidade e intolerância

Pessoas excessivamente ansiosas podem apresentar muita irritabilidade e intolerância. Como estão hiperalertas e sensíveis, acabam por ter um baixo limiar de frustração, parecendo mui-

O cérebro ansioso

tas vezes estar com os nervos "à flor da pele". Elas podem ser a personificação do famoso "pavio curto". O estresse se antecipa e se amplifica na mente ansiosa, gerando respostas imprevisíveis, impulsivas e exageradas. O ansioso está preso à expectativa, gosta de dominar o futuro e controlar as variáveis. Ao sentir que algo foge do espectro do que é previsível, pode apresentar-se agitado, agressivo, com baixa tolerância a erros (de si e dos outros), perfeccionista e inflexível.

Essa baixa tolerância pode trazer conflitos internos, derrubando a autoestima, ou externos, com familiares, colegas de trabalho e amigos, passando uma imagem de alguém que quer que as coisas ocorram sempre do seu jeito, ou dentro de sua janela de controle e expectativa. A irritabilidade pode gerar mudanças rápidas de humor, trazendo certa instabilidade e uma baixa resistência ao imprevisível.

Angústia e senso de urgência

O termo angústia possui diversas interpretações, físicas e psíquicas. Algumas pessoas o usam como sinônimo de ansiedade, outras de medo e apreensão. Indivíduos ansiosos frequentemente referem-se a uma sensação subjetiva, psíquica, de que algo está prestes a ocorrer, uma sensação de iminência, um senso de urgência, muitas vezes sem razão aparente ou voltado a eventos banais ou distantes. Por vezes, essa angústia se apresenta como a sensação de que algo intenso ou negativo vai ocorrer, mas também pode ser sentida como uma espécie de frio ou vazio no peito ou na barriga.

O senso de urgência pode levar a certa inquietação psíquica, pensamento acelerado e desejo de resolver tudo ao mesmo tempo. A expressão "Ele quer tudo para ontem!" marca bem essa tendência. A vontade de ter controle absoluto de variáveis faz com que o

Sinais e sintomas dos distúrbios ansiosos

ansioso, por vezes, esteja sempre ocupado, sempre no modo multitarefa e sempre correndo e prevenindo algo. É interessante notar que muitas pessoas ansiosas se sentem mal quando ficam sem nada para fazer, passando por uma curiosa espécie de abstinência de estresse. A pessoa mais agitada se habitua a estar sempre bastante ativa, resolvendo problemas. Em fases de calmaria, sente-se até desconfortável com a paz que se instala em sua mente, logo buscando o que fazer. A dificuldade em relaxar, em esvaziar a mente, em não fazer nada ou se dedicar a atividades mais lentas, passivas e tranquilas é uma característica marcante de alguns ansiosos.

Fenômenos de dissociação

Esses fenômenos são caracterizados por despersonalização e desrealização, dois sintomas bem diferentes dos usuais, podendo ocorrer em situações de ansiedade intensa. Apesar disso, são mais frequentes do que se imagina, principalmente em crises agudas associadas ao pânico, ao estresse agudo e à síndrome do estresse pós-traumático (todas diferentes facetas em que a ansiedade pode se apresentar), mas podem ocorrer em outras situações, como outros transtornos psiquiátricos em forma de epilepsia ou abuso de substâncias. São chamados dissociativos porque há um afastamento entre a mente (emocional) e o corpo (físico e cognição) que os gera em graus variados.

- *Despersonalização:* o paciente pode ter a impressão de que não controla seu pensamento, ou que não é dono de suas memórias ou vivências naquele momento. Ele se sente aéreo, pode manifestar períodos de amnésia ou ter uma sensação estranha de que sua mente está se desprendendo do próprio corpo. Em casos intensos, pode ter a impressão de

O cérebro ansioso

estar completamente fora do corpo (sensação extracorpórea). Esse sintoma pode ocorrer também em experiências de quase morte (às vezes aliado à famosa visão em túnel e hipersensibilidade à luz), intoxicações, síndrome de abstinência etc. Quando em um contexto compatível, pode se apresentar em transtornos ansiosos.

- *Desrealização:* aqui o paciente sente que o mundo está estranho, diferente. Ela pode ocorrer junto com a despersonalização ou de forma isolada, independente. A pessoa pode achar que o mundo ao redor parece um sonho ou um filme, que está simplesmente esquisito ou que segue em velocidade diferente do habitual. Em algumas situações mais intensas, ela pode manifestar a percepção de que os objetos estão se movendo sem que na realidade estejam, ou a sensação de que as coisas se apresentam em tamanhos diferentes (pequenas ou grandes), que o mundo parece sem cor, turvo ou excessivamente vívido, e por aí vai. Quando a descrição envolve alteração intensa na percepção do tamanho dos objetos, alguns autores chamam esse sintoma de "síndrome de Alice no País das Maravilhas". A desrealização pode ocorrer em diversas patologias psiquiátricas, mas é classicamente um sintoma ansioso agudo, quando em um contexto compatível. Ao médico cabe investigar patologias neurológicas (como epilepsia ou crises de enxaqueca) e consumo de substâncias com poder alucinógeno.

O cérebro é um órgão complexo e com disfunções curiosas. Os sintomas de desrealização e despersonalização podem parecer, em um primeiro momento, fruto de transtornos psicóticos (típico de doenças de outra natureza, como a esquizofrenia) ou uma queixa fantasiosa de alguém perdendo a lucidez. No entanto, frequentemente são sintomas ansiosos em alguém plenamente lúcido, mas que se apresenta em um grau intenso de tensão emocional.

Estima-se que até 25 por cento da população (1 a cada 4 pessoas) possa ter eventos ocasionais, em intensidade e duração variáveis, de desrealização ou despersonalização, a maioria leves e situacionais. Quando isso ocorre de forma isolada, sem prejuízo funcional ou relevância, o quadro pode ser interpretado como uma variante não patológica, possível em pessoas completamente normais.

Mas imagine o desespero gerado por esse tipo de sintoma, de forma intensa, durante uma crise de pânico. Por isso, não raro, os pacientes passam a ter um medo extremo de ter novas crises (agorafobia), e por vezes acreditam que estão ficando loucos (o que de fato não está acontecendo).

Existem diversas teorias acerca desses fenômenos de dissociação. Uma das principais versa sobre a possibilidade de eles serem parte de um mecanismo de proteção da consciência em situações de tensão excessiva ou conflitos de difícil resolução. Seria como um disjuntor que cai em um pico de tensão da rede elétrica.

Do ponto de vista neurológico, postula-se que o fenômeno seja fruto de um esfriamento emocional e afetivo durante determinada experiência. O lobo frontal, relacionado à racionalidade e à crítica, permaneceria funcionando, enquanto o sistema das emoções (sistema límbico) reduziria seu funcionamento, gerando uma perda de colorido emocional. Essa frieza afetiva levaria à sensação de estranhamento e "não familiaridade" e às perturbações da junção mente-corpo.

O cérebro ansioso

Sintomas físicos

Os transtornos de ansiedade são frequentemente marcados por inúmeros sintomas físicos. O cérebro ansioso suscita uma cadeia de eventos transformadores do funcionamento de outros órgãos, o que pode gerar sintomas à distância, fora do espectro mental.

Como já falamos anteriormente, cada paciente tem uma manifestação completamente individual de sua ansiedade. Algumas vezes, o sintoma físico se destaca mais que os sintomas psíquicos, levando as pessoas a diversos outros especialistas, submetendo-se a investigações e tratamentos por vezes equivocados.

Os transtornos de ansiedade podem simular doenças cardíacas, pulmonares, cutâneas, problemas no labirinto, podem gerar dores ortopédicas, sintomas gástricos e intestinais, entre outros. É muito comum o paciente chegar encaminhado por um colega de outra especialidade, ou mesmo espontaneamente após uma grande peregrinação em pronto-socorros, ambulatórios e consultórios diversos, investigando várias manifestações corporais, sem encontrar a verdadeira causa do seu problema.

Isso ocorre por muitos fatores. Primeiramente, porque damos mais valor aos sintomas físicos do que aos sintomas psíquicos, pois os consideramos mais perigosos. Isso é ainda mais verdadeiro entre os ansiosos, já que muitos deles têm muito medo de doenças físicas. Segundo, porque demoramos (tanto médicos como pacientes) um pouco para acreditar que nosso cérebro pode gerar tanto desconforto físico. A medicina está cada vez mais especializada e pautada em hipóteses e investigações setorizadas, e por isso uma sensação longe do órgão que lhe deu origem demora mais para receber seu diagnóstico final.

Nesta parte do livro, vamos conhecer os principais sintomas corporais da ansiedade. Sobre alguns já conversamos anteriormente, mas vamos retomá-los e ampliá-los, por questões didáticas e de organização do raciocínio.

Estado hiperalerta: reação da adrenalina

Aqui figuram os principais sintomas físicos dessa nossa discussão. A reação de alerta, modulada pela adrenalina e pelo cortisol (duas substâncias que circulam pelo sangue em momentos de tensão), traz rápidas e perceptíveis alterações no funcionamento do corpo. Vamos às principais.

- *Coração:* em crises de ansiedade o paciente pode sentir seu coração batendo forte (algo geralmente pouco perceptível, salvo em momentos de tensão emocional ou atividade física). Ele pode referir uma pulsação forte no peito ou mesmo na região da frente do pescoço, perto da garganta. Por vezes, as batidas são sentidas em ritmo normal; em outras, o ritmo parece acelerado ou até descompassado. Essa sensação tem intensidade variável, podendo ser sentida durante longos períodos ou como parte de crises mais agudas e intensas, como nas crises de pânico. Nos eventos mais intensos, podem surgir também: dores no peito, descritas como opressão, sensação de aperto e queimação, com eventuais irradiações para as costas, queixo ou braços, simulando um infarto agudo.

  Quando essa manifestação com ênfase cardíaca aparece, é muito frequente o paciente buscar o pronto-socorro, onde será atendido com suspeita de arritmia ou infarto e será, corretamente, submetido a exames cardíacos e ao acompanhamento de um cardiologista. A suspeita de um quadro de

O cérebro ansioso

ansiedade surge com a normalidade dos exames, aliada à falta de fatores de risco cardiológico e ao contexto geral das crises, levando ao encaminhamento para outros profissionais.

- *Pressão arterial:* pessoas muito ansiosas podem apresentar pressão elevada, seja em alguns momentos (em formas agudas), seja de forma mais contínua (em formas crônicas). O padrão mais típico é o aumento mais relevante da pressão sistólica (o valor mais alto). O normal é apresentar valores abaixo de 130 × 80 mmHg, mas uma pessoa ansiosa pode apresentar um quadro, por exemplo, de 170 × 80 mmHg. No entanto, outros padrões podem aparecer. Se a pessoa já tem a pressão elevada, o quadro pode descompensar, denotando um efeito complicador em uma doença de base. Todo mundo tem eventuais aumentos de pressão em contextos específicos, tais como dor, excesso de estimulante, estresse, privação de sono, medo, pós-exercício físico etc. Você já ouviu falar na síndrome do jaleco branco? Nela, os pacientes apresentam aumento de pressão arterial por tensão emocional durante as consultas médicas. Nessa síndrome peculiar, a pressão mostra-se normal quando é medida fora do consultório. Eis um exemplo de hipertensão situacional desencadeada por antecipação do estresse.

  Em pessoas excessivamente tensas e preocupadas, essas situações de antecipação e amplificação do estresse são mais frequentes no dia a dia, fazendo a pressão arterial tender a um limiar mais elevado. Ao tratar a ansiedade, alguns pacientes têm suas crises de hipertensão controladas.

- *Alteração respiratória:* eis um sintoma importante nos transtornos de ansiedade. O paciente ansioso tende a ter a frequência respiratória aumentada (respiração rápida) e a profundidade da respiração reduzida (respiração mais curta). Com isso, ele se sente ofegante, com falta de ar, dificuldade de encher plenamente os pulmões e, por vezes, uma sensação de cansaço, como se tivesse acabado de correr. Devido a isso, é frequentemente direcionado a um pneumologista para investigar casos de asma, bronquite e outras patologias respiratórias, sendo o quadro de origem primariamente psicológica.

Episódios de pânico podem gerar quadros respiratórios dramáticos. Para piorar, a respiração rápida e curta, clássica nesse tipo de crise, acaba por gerar um desequilíbrio metabólico que piora os sintomas clínicos durante essas crises. Deixe-me explicar melhor, pois esse conceito é importante (e é meio complicadinho, então preste atenção, respirando fundo e devagar agora).

Ao respirar superficialmente, de forma rápida e curta, o paciente ansioso libera uma quantidade excessiva de CO_2 (gás carbônico), processo que chamamos de hiperventilação (que significa ventilar demais, muito rápido). Com essa eliminação excessiva, os níveis de CO_2 na corrente sanguínea diminuem (no sangue é chamado ácido carbônico). Com a queda de um ácido no sangue, o pH muda, ficando mais básico ou alcalino. O sangue menos ácido gera problemas com o cálcio, que fica preso em uma proteína do sangue chamada albumina, causando uma baixa relativa desse componente, quadro que chamamos de hipocalcemia (baixa do cálcio).

Sei que está ficando difícil. Para encurtar a conversa, vamos recapitular de forma mais simples: a ansiedade gera uma respiração curta e rápida, elimina-se mais CO_2, o sangue com pouco CO_2 fica menos ácido, o que baixa a atuação do cálcio. Aqui é onde eu queria chegar: o cálcio é muito importante para a sensibilidade e para a contração muscular. Quando a ação do cálcio cai, a pessoa pode sentir formigamentos (principalmente nas extremidades e em volta da boca). Se o quadro for mais forte, podem surgir contrações exageradas, principalmente nas mãos, fazendo com que os dedos fiquem duros e em uma posição característica.

Hiperventilação na ansiedade

Isso faz todo o sentido agora! Uma pessoa em pânico sente, após essa "falta de ar", sintomas progressivos que podem incluir formigamentos, contrações fortes nos dedos, tontura e sensação de desmaio. Tudo fruto do efeito cascata do distúrbio metabólico gerado pela respiração rápida e superficial.

Na verdade, mesmo quem nunca sofreu um episódio de ansiedade pode já ter sentido isso de maneira mais fraca e limitada em outras circunstâncias. Por exemplo: quando enchemos uma bexiga muito rapidamente e com muita força, podemos sentir nossa pele formigando e uma sensação de tontura. Trata-se do mesmo fenômeno de hiperventilação.

Conhecer esse comportamento corporal é fundamental durante uma crise de ansiedade, pois o primeiro passo para revertê-la é tentar controlar a própria respiração. Se o paciente

Sinais e sintomas dos distúrbios ansiosos

procurar respirar de forma lenta e profunda, os sintomas são atenuados e não progridem. A questão aqui seria não deixar a respiração seguir o curso automático da crise, preferindo respirar de forma consciente e controlada logo no início do evento.

Outra coisa que escutamos e que algumas pessoas fazem durante crises fortes é respirar dentro de um saco, já ouviu falar nisso? A lógica envolve o conceito que apontamos acima: alguém está respirando rapidamente, exalando CO_2 em excesso e sentindo o efeito cascata da perda de acidez e disfunção no cálcio. Se a pessoa respira dentro de um saco fechado, o ar de dentro dele tende a ficar cada vez mais rico em CO_2, em uma concentração maior que a do ar ambiente. Com isso, ela inala o próprio CO_2 que acabou de exalar dentro do saco, reequilibrando o sistema. Trata-se de uma medida que faz algum sentido e pode funcionar em determinados casos, sob os cuidados de alguém treinado nessa conduta.

- *Formigamento e contração nas mãos:* já que acabamos de explicar um dos motivos desse sintoma, vamos abordá-lo brevemente. Uma pessoa que sente formigamento durante uma crise de ansiedade pode achar que está tendo um derrame ou algo assim. Geralmente esse formigamento é sentido nos dois lados do corpo (diferentemente do formigamento de um derrame, que geralmente ocorre de um lado só), predominando nas extremidades (pés e mãos) e em torno da boca. A causa é variada, envolvendo a descarga de adrenalina e a

O cérebro ansioso

hiperventilação. Algumas pessoas descrevem uma sensação de eletricidade ou choque que percorre partes do corpo durante crises. Trata-se de uma descrição frequente de transtornos de ansiedade.

A contração muscular involuntária nas mãos (uma espécie de câimbra) pode ser vista em crises mais graves e intensas. Não é um sintoma tão comum, mas é possível no pânico intenso e nas crises emocionais mais sérias.

- *Sudorese:* a transpiração excessiva é um sintoma frequente em pacientes ansiosos. A pessoa pode apresentar aumento do suor nas mãos, nas axilas, na cabeça, ou mesmo no tórax e nas costas. O corpo "ativado" pela adrenalina busca otimizar seu equilíbrio térmico através da sudorese. Esse excesso pode ser visto em crises agudas ou em crises mais arrastadas e leves.

- *Tremores:* pessoas ansiosas podem apresentar tremores, principalmente nas mãos e nas pálpebras. O tremor, nesses casos, é provocado também pelo excesso de adrenalina (estado de hiperalerta). Nas mãos, ele costuma ser bilateral (nos dois lados do corpo) e de ação, ou seja, fica mais evidente quando a pessoa estica os braços ou segura um objeto. Nas pálpebras, costuma ser perceptível um tremor rápido e bilateral, quando a pessoa fecha os olhos suavemente, parecendo um bater de asas. É importante não confundir esses tremores com a mioquimia, ou espasmo, outro fenômeno que também é visto na pálpebra na forma de uma contração perceptível e chata que aparece em um dos olhos. Esses espasmos são geralmente fruto de cansaço físico ou mental, de privação de sono ou mesmo de excesso de substâncias estimulantes. Ambos os fenômenos (tremor

Sinais e sintomas dos distúrbios ansiosos

e espasmos de pálpebras) são mais frequentes em ansiosos, podendo também aparecer em outras condições clínicas, como no hipertireoidismo (aumento na função da tireoide) ou no tremor essencial, necessitando de uma boa avaliação médica. Outros sintomas do estado hiperalerta (adrenalina) são: pupilas dilatadas (visão turva), boca seca, sensação de calor interno, pele avermelhada, entre outros.

Tontura e vertigem

Esse é outro sintoma físico que pode estar relacionado à ansiedade, e que nesse caso ganha o nome de vertigem fóbica. Já perdi a conta do número de pessoas que me procuram no consultório com queixa de vertigem, sensação de tontura ou desequilíbrio e que acabam sendo diagnosticadas com transtorno de ansiedade. Geralmente a queixa do paciente já sugere um pouco a causa. A vertigem que surge na ansiedade é normalmente descrita como um balanço, não como uma sensação de rotação (mais típica de transtornos do labirinto). A pessoa tensa pode se sentir como se estivesse em um barco ou uma superfície instável. Por vezes, descreve que é como se andasse sobre nuvens ou como se não tocasse firmemente o solo. O quadro pode piorar em situações mais emocionais, em lugares lotados ou mesmo em ambientes específicos, como garagens fechadas ou supermercados, onde as gôndolas ou as luzes dispostas de maneira alinhada podem gerar uma sensação de desconforto. Acredita-se que a sensibilidade do labirinto e de algumas regiões do cérebro aumente, amplificando pequenas variações ambientais e gerando uma grande percepção de movimento, o que daria essa impressão de balanço. Pessoas com esse sintoma procuram otorrinolaringologistas e frequentemente passam por investigação de doenças do labirinto.

O cérebro ansioso

Distúrbios do sono

A relação entre insônia e ansiedade é intensa e de mão dupla – uma acaba quase sempre interferindo na outra. Quem tem mais ansiedade dorme pior e, por consequência, sente-se mais tenso no dia seguinte. Isso gera um círculo vicioso bastante perigoso.

A ansiedade está diretamente associada à dificuldade em pegar no sono (insônia inicial) e em mantê-lo durante a noite (insônia de manutenção). O cérebro acelerado e preocupado tende a ficar agitado à noite, refletindo sobre eventos ocorridos durante o dia e planejando excessivamente atividades do dia seguinte. Isso acontece devido ao turbilhão de pensamentos e alternativas de projeção e reflexão, gerando uma franca dificuldade de a mente se desligar. Esse sono mais inquieto e superficial ocorre principalmente depois de dias mais intensos ou antes de fases mais angustiantes, como vésperas de eventos fora da rotina – festas, viagens, provas, entrevistas, encontros, apresentações de trabalho etc. O paciente muito apreensivo pode despertar no meio da noite e ter dificuldade de voltar a adormecer por ficar pensando na vida. Esse sono encurtado e eventualmente picado gera uma sequência de eventos desfavoráveis no dia seguinte.

O paciente tende a acordar mais fatigado, física e mentalmente, passando o dia mal-humorado, desatento e improdutivo. E adivinha o que o organismo libera, buscando contrabalançar essa fadiga e desânimo? Adrenalina e cortisol! Nossos velhos conhecidos geradores de mais sintomas ansiosos. Para piorar mais um pouquinho a situação, algumas pessoas acabam por abusar de substâncias estimulantes no dia seguinte, levando a mais tensão e sintomas de excitação.

Sinais e sintomas dos distúrbios ansiosos

A relação recíproca entre sono e ansiedade

Outro evento que pode ocorrer à noite são crises de pânico noturnas, nas quais o paciente desperta com muito desconforto, apresentando os sintomas clássicos de sudorese, falta de ar, taquicardia e desespero.

Outros sintomas que podem se manifestar no sono de pacientes ansiosos são: bruxismo (apertar e/ou ranger os dentes durante a noite), síndrome das pernas inquietas (movimentos excessivos de membros inferiores), compulsão noturna (principalmente alimentar) etc.

Alteração de peso e apetite

A ansiedade tem importantes correlações com alterações do apetite e controle de peso. Não comemos apenas quando estamos com fome, mas também para sentir prazer e, eventualmente, para gerenciar frustrações. Não raro, o alimento vem cumprir uma tarefa mais emocional do que física. O ansioso pode comer em excesso e fazer escolhas alimentares piores, preferindo alimentos adocicados, gordurosos e com pior perfil calórico e nutricional, o que pode desencadear a ocorrência de sobrepeso e obesidade. O alívio encontrado em uma relação compulsiva com a comida é apenas transitório e gera frustração logo em seguida. Com o tempo, a sensação volta e o paciente tende a repetir o comportamento, comendo errado novamente. Eis mais um círculo vicioso da ansiedade.

Muitos pacientes descrevem uma fome incontrolável, um desejo irresistível de ingerir determinado tipo de alimento, mesmo sabendo conscientemente que não se trata de uma fome real.

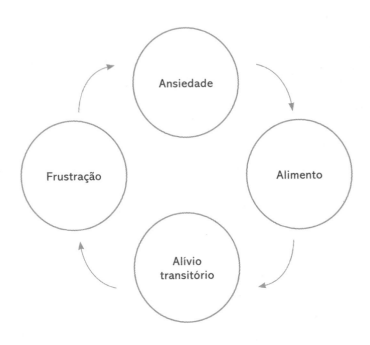

Ciclo da compulsão alimentar

Sinais e sintomas dos distúrbios ansiosos

Os alimentos preferidos pelos ansiosos são: chocolate, biscoitos, bolos, doces no geral, *fast-food* etc. São alimentos que ativam as vias dos neurotransmissores serotonina e dopamina. As vias cerebrais da serotonina trazem bem-estar e acalantam um pouco a sensação de angústia. A dopamina faz parte da circuitaria cerebral do prazer, um mecanismo complexo de recompensa que premia a mente após alguns comportamentos positivos para a espécie ou para o indivíduo. Esse mecanismo está intimamente relacionado com o comportamento alimentar, ficando mais ativo no consumo de carboidratos (açúcares) e alimentos gordurosos, uma vez que possuem um potencial calórico elevado, sendo um mecanismo de avidez importante quando a escassez de comida costumava ser a regra. Em pessoas ansiosas, o mecanismo de saciedade é mais complicado, pois envolve, além do tradicional mecanismo de nutrição, elementos psíquicos e uma relação patológica com o alimento, o que leva a pessoa a talvez comer alimentos inadequados para seu contexto de saúde – rápido demais e em grande quantidade.

Como consequência, pode ocorrer ganho de peso e piora progressiva da autoestima, tanto pela saúde em si e pela estética como pela frustração pela dificuldade de controlar os próprios impulsos.

Na outra ponta do problema, também existem casos, embora menos frequentes, em que o transtorno da ansiedade ocasiona perda de peso. A pessoa pode perder o apetite por se sentir tensa demais, ou negligenciar e restringir a alimentação por estar trabalhando ou se exercitando de modo excessivo. Dessa forma, acaba emagrecendo.

Outro fenômeno que pode ocorrer é a ansiedade associada diretamente ao ato de se alimentar, o que configura uma espécie de fobia. Alguns pacientes relatam náusea, tensão, angústia e dificuldade de engolir, principalmente ao comer fora de casa ou

O cérebro ansioso

na frente de outras pessoas, dificultando o hábito alimentar (esse, aliás, pode ser um sintoma da fobia social).

Seja como for, o que deve ficar claro é que os transtornos de ansiedade frequentemente impactam o apetite e o processo de controle de peso, sendo mais um sintoma físico relevante para o diagnóstico e um ponto a ser abordado durante o tratamento.

Problemas sexuais

O comportamento sexual tem determinantes bastante complexas e dinâmicas, tanto em homens quanto em mulheres. A influência da ansiedade no comportamento sexual pode ser percebida em diversos eventos, como na libido (desejo sexual), na ereção (homem), na lubrificação (mulher) e na capacidade e velocidade de atingir o orgasmo.

Pessoas muito ansiosas estão sempre focadas em problemas, podendo deixar o sexo em segundo plano, apresentando fases de desinteresse e pouca procura. Durante a atividade, com frequência têm dificuldade de relaxar, revelando desconforto, preocupação excessiva com relação ao desempenho e à aparência e gerando inibição e sintomas desagradáveis, principalmente em contextos de pouca intimidade.

Uma queixa frequente em homens ansiosos é a ejaculação precoce, o orgasmo masculino ocorrido antes do desejado, o que pode causar insatisfação e frustração e provocar mais ansiedade em relações subsequentes. Os homens também podem experimentar disfunção erétil por fatores psíquicos, limitando o início ou a manutenção da fase de penetração.

Na mulher, os sintomas mais descritos são o desinteresse sexual, a falta de lubrificação, a dor e desconforto ou dor à penetração (causada em parte pelos itens anteriores) e a dificuldade de chegar ao orgasmo.

Sinais e sintomas dos distúrbios ansiosos

O comportamento sexual depende de um cérebro saudável em um contexto adequado. Fases de muita ansiedade e estresse excessivo geram comprometimento do comportamento sexual e reprodutivo. Isso é biologicamente compreensível, já que em situações mais estressantes nosso cérebro prioriza medidas de sobrevivência, como, por exemplo, acúmulo de energia, tirando o foco da preservação da espécie em detrimento da preservação do indivíduo. De uma perspectiva evolutiva, fases prolongadas de estresse marcavam fases de seca, escassez de comida, desastres naturais, guerras e outras situações adversas. O comportamento sexual é favorecido em contextos mais tranquilos e com perfil hormonal mais favorável.

Outro aspecto que pode ser encontrado em casos específicos é a compulsão. Nesses casos, a pessoa tomada por ansiedade utiliza o sexo como válvula de escape para o alívio transitório de sintomas. Como nos outros ciclos que mencionamos, o alívio é seguido por certa frustração e um novo ciclo de compulsão. Esse contexto é favorável para um comportamento sexual excessivo e por vezes perigoso.

As queixas sexuais são extremamente importantes em contextos ansiosos, tanto antes como durante o tratamento medicamentoso. Muitas vezes, esse conjunto de sintomas é negligenciado durante uma avaliação médica, seja por vergonha ou por falta de oportunidade durante a consulta, seja pela falta de percepção desse sintoma como integrante da síndrome emocional apresentada.

Dores musculares

Pessoas mais tensas tendem a apresentar contrações involuntárias de diversos músculos, principalmente ao redor da cabeça, no pescoço e na região das costas. Essa contração excessiva gera desconforto e dores com padrão crônico, acompanhados de contraturas, restrições de movimento e incômodo ao toque.

O cérebro ansioso

É muito frequente a descrição de dores de cabeça tensionais, geralmente bilaterais (sentidas nos dois lados da cabeça), com característica de aperto ou pressão (como se algo estivesse comprimindo a testa), de fraca a moderada intensidade e duração longa, que pode variar de horas a dias. A pessoa pode se queixar de sentir a cabeça pesada, ou de sentir uma faixa apertada ao redor da cabeça. Essa sensação tende a piorar no decorrer do dia, sendo geralmente pior no final da tarde.

Outra queixa muito frequente é a dificuldade em relaxar a musculatura do pescoço, que costuma ficar dura e tensa. A região dos ombros e a parte superior das costas também são pontos comuns de tensão muscular, o que dá a impressão de que se carrega algo nas costas – como os problemas ou mesmo o mundo, como dizem.

Muitos ansiosos buscam ajuda de reumatologistas, ortopedistas e neurologistas por acreditarem estar com problemas musculares específicos. Após uma boa investigação e um contexto diagnóstico adequado, o quadro pode eventualmente ser definido como um sintoma físico de um transtorno de ansiedade.

O bruxismo (ranger ou apertar os dentes, principalmente manifesto à noite), sobre o qual já falamos nos transtornos de sono, também pode se enquadrar nesse tópico, já que é causado por tensão dos músculos da mastigação. Ele pode eventualmente levar às disfunções secundárias da ATM (articulação temporomandibular), gerando problemas na mordida, na abertura da boca e ainda mais desconforto nessa região.

Distúrbios gastrointestinais

Seguindo o caminho da ansiedade pelo corpo, chegamos ao trato gastrointestinal. Ela também adora se manifestar aqui. Desde a boca até o intestino, muitas alterações podem ser relacionadas ao estresse excessivo: ardência na boca, aftas, queimação no estômago, dificuldade de digestão, estufamento e alterações intestinais como constipação ou diarreia. Quem nunca ouviu o termo gastrite nervosa? Ou úlcera nervosa? Hoje esses termos estão fora de moda, sendo pouco usados no ambiente médico, mas pontuam em parte o impacto emocional no controle da acidez e proteção gástrica. E sobre a síndrome do intestino irritável, você já ouviu falar? Nela, temos disfunções variadas e alternantes do funcionamento intestinal com ausência de uma doença anatômica específica. Quem sofre dessa síndrome pode apresentar dores, gases, cólicas, fases de diarreia, fases de prisão de ventre etc.

Esses são quadros frequentemente associados à ansiedade e a outros transtornos do humor. Apesar de não ser uma regra, existe uma clara sobreposição dessas doenças, sendo a ansiedade entendida como um dos agravantes dos sintomas gastrointestinais disfuncionais, pelo menos em uma parcela considerável dos casos.

Em crises agudas de nervosismo e tensão, são também frequentes as descrições de desarranjo intestinal, cólicas abdominais e queimação no estômago.

A conexão entre o cérebro e o intestino é muito intensa. Aliás, dentro do intestino temos um tecido neurológico extenso e com um funcionamento bastante complexo. Por isso, dizemos que no intestino temos um segundo cérebro, com seus transmissores, suas sinapses e suas vulnerabilidades.

Tiques, inquietação e alterações de fala

Algumas pessoas exteriorizam mais a ansiedade, mostrando-se mais agitadas e ativas, apresentando uma inquietude bastante característica tanto na forma de se movimentar como no ritmo de fala. Outras sentem a ansiedade mais internamente, exteriori-

O cérebro ansioso

zando pouco – são os chamados "falsos calmos": parecem plenos e tranquilos, mas por vezes carregam um vulcão dentro de si, podendo apresentar quadros também preocupantes. Por isso, não julgue o livro apenas pela capa. A ansiedade tem várias faces. No grupo mais agitado, pode-se perceber uma fala mais rápida e atropelada, às vezes até difícil de entender. Esse tipo de ansioso pode comer palavras, omitir trechos e fazer algumas junções de sons que tornam a linguagem característica. Pode ter dificuldade em articular determinados fonemas, respirar de forma errada e apresentar certa gagueira eventual. A velocidade aumentada da fala parece ser fruto da velocidade ainda mais rápida de pensamento. Esses indivíduos podem soar ora animados e entusiasmados, ora apreensivos e receosos.

Outro sinal externo da ansiedade se manifesta nos membros. As pernas podem apresentar movimentos repetitivos, principalmente quando os indivíduos estão sentados – um sinal de franca inquietação motora. Podem mover excessivamente as mãos, tamborilando sobre a mesa, por exemplo, dando a impressão de que estão impacientes, com pressa, que não conseguem relaxar e ficar parados, em uma espécie de faniquito interno que cobra um movimento, mesmo que sem utilidade.

Podem surgir tiques, movimentos rápidos, semivoluntários, sem um objetivo aparente, como um balanço de cabeça, uma elevação de pálpebras, um piscar fora de hora, uma careta, uma contração no ombro, entre muitos outros.

Tiques são frequentes em ansiosos, principalmente do sexo masculino, traduzindo a inquietação mental e o pensamento agitado e acelerado frequentemente encontrados nesses pacientes. No entanto, esses eventos também podem surgir associados a outros transtornos neurológicos e neuropsiquiátricos. A própria

Sinais e sintomas dos distúrbios ansiosos

inquietação motora também não se restringe às síndromes ansiosas, podendo aparecer, por exemplo, em transtornos como o déficit de atenção com hiperatividade ou a síndrome de Tourette, em transtornos do espectro autista, entre outros. Mais uma vez, o conjunto de sintomas conta muito na hora do diagnóstico.

Ufa! Essa lista de sintomas físicos está muito grande, e garanto que ainda está incompleta. O cérebro dispara comandos intensos que alteram o funcionamento de órgãos à distância. Por isso, é fundamental uma avaliação médica abrangente. A ansiedade pode simular muitas outras doenças, levando o paciente a uma perambulação por consultórios, por investigações diversas e tratamentos por vezes equivocados, focados na ponta (clínica) de um grande *iceberg* (transtorno ansioso), tratando sintomas individuais e não sua causa.

Mas antes de avançarmos para as síndromes e os casos clínicos, que certamente nos permitirão condensar melhor esses e outros conceitos, vamos conversar um pouco sobre os sintomas cognitivos da ansiedade.

Sintomas cognitivos

Muito se fala sobre os sintomas físicos e emocionais dos transtornos ansiosos, mas pouco se aborda os aspectos intelectuais, de rendimento cognitivo. Eu, como neurologista, sou apaixonado por esse tema. Em meu primeiro livro, *Antes que eu me esqueça* (Alaúde, 2016), tratei um pouco da influência dos transtornos de humor no rendimento da memória. Aqui, tenho novamente a obrigação de fazer esse *link*, uma vez que a conexão entre equilíbrio emocional e cognitivo nunca esteve tão em evidência.

Mas será que a ansiedade ajuda ou atrapalha o rendimento intelectual?

O cérebro ansioso

Vamos refletir juntos: quando pensamos em uma pessoa ansiosa, imaginamos alguém com bom rendimento intelectual ou não? De modo geral, alguém ansioso é alguém preocupado, agitado e que busca resolver as coisas rapidamente, deixando baixa margem a erros. Sob essa óptica, a ansiedade seria uma grande qualidade. Tanto é que frequentemente ela é usada como um "falso" defeito em entrevistas de emprego.

> **RECRUTADORA DO R.H.:** Então, João, quais seriam seus dois maiores defeitos?
>
> **JOÃO:** Ah, eu sou muito ansioso e perfeccionista.

Aí não vale! Esses são defeitos vistos com bons olhos pelo empregador. Difícil é contar nossos defeitos reais.

Mas não considero essa visão equivocada, não. Pelo menos, não sempre. Se voltarmos para as primeiras páginas do livro, veremos meu agradecimento singelo à ansiedade, que tornou esse trabalho focado e possível, gerando minha percepção antecipada de realização e otimizando meu engajamento progressivo nessas páginas que agora merecem a sua atenção.

Por isso, concordo que a ansiedade trabalha a favor do rendimento, mas apenas em situações peculiares. Há dois fatores que devem ser levados em conta. Primeiro, a ansiedade precisa estar em um nível normal. Segundo, a atividade na qual o rendimento está sendo avaliado precisa estar no foco dessa ansiedade.

Quando estamos um pouco ansiosos é normal elevarmos nossa preocupação: o receio do fracasso nos empurra e o entusiasmo inicial propiciado por aquele friozinho na barriga nos motiva. Tensos, somos mais focados. Quem nunca ficou tão concentrado em uma prova que se esqueceu completamente da vida, ficando

Sinais e sintomas dos distúrbios ansiosos

horas e horas sem ir ao banheiro, "surdo" para o barulho do ventilador de teto? O foco gerado pela tensão direcionada é uma ferramenta positiva em atividades com baixa tolerância ao erro. A ansiedade exacerba o estresse, e o estresse tinge nossas experiências de cores mais vivas.

E se a nossa atenção se alimenta de estresse, nossa memória também! Pense nos momentos mais marcantes da sua vida, em suas memórias mais sólidas. Perceba que foram quase sempre eventos estressantes acompanhados por ansiedade. O dia da formatura, o casamento, o nascimento dos filhos, o primeiro beijo, a aprovação no vestibular, uma determinada perda, um assalto ou violência, um desastre natural. Nosso cérebro atribui relevância a eventos extremos, marcantes e emocionalmente intensos.

Se você sonha em realizar algo grandioso um dia, terá antes que jantar com a ansiedade. Por isso, nosso combate não é contra a ansiedade em si – nunca foi e nunca será. Nossa luta é contra o seu transbordamento, seu desequilíbrio. Às vezes, vejo pessoas recriminando o estresse, dizendo que ele é fator de risco para isso e para aquilo. Entendo o que querem dizer, mas nem sempre concordo. O estresse negativo é o estresse demasiado e crônico. O estresse agudo é a graça de nossos dias. É o tempero de nossa existência insossa. Vejo o estresse como o sal: basta uma pitada e o alimento acorda, ganha vida. Agora, experimente derrubar um saleiro na refeição. Aí ela fica intragável. Sem o estresse, nossa vida passa a ser uma sequência de previsibilidades, um amontoado de momentos mornos, de situações organizadas por uma rotina sem brilho. Viver é se estressar, é sentir ansiedade e medo e o prazer do enfrentamento. É tomar partido e por vezes quebrar a cara. Como diz o velho clichê: "Não devemos trazer dias à nossa vida, mas vida aos nossos dias".

O cérebro ansioso

Precisamos da ansiedade como precisamos do ar. Eliminá-la seria o maior equívoco da humanidade. Pobre da sociedade guiada pela frieza racional de vivências sem gosto. Precisamos antever o futuro e sofrer, antes, durante e depois. Mas com moderação. A ansiedade e a percepção de estresse precisam ser um detalhe que destoa do normal. Devem ser a pitada de energia em um cenário maior de tranquilidade. O estresse seria como o vermelho de uma tela em tons pastel: precisa de limite, de graciosidade, para ser marcante e impactar. Se derrubarmos uma lata dessa cor sobre uma tela não haverá arte, e sim uma mancha agressiva e homogênea. O estresse exagerado e sem fim é, sim, fonte de doenças, físicas e emocionais. O cérebro constantemente ansioso é insustentável, gasta energia demais e realiza pouco. Aqui, como em muitos outros contextos, é a dose que faz o veneno.

Pessoas demasiadamente ansiosas têm sua cognição comprometida. Ansiosos patológicos estão conectados com o tempo futuro, desconectando-se do presente. Perdem tempo com alternativas improváveis, tomam decisões impulsivas e com pouca reflexão. Apresentam pensamentos intrusivos e recorrentes, sentem um medo paralisante e podem desenvolver hábitos compulsivos. Isso tudo é o oposto de uma boa cognição.

Gosto de imaginar que a ansiedade excessiva deixa o cérebro como um carro potente acelerado, mas com o freio de mão puxado: há muita energia dissipada sem propósito real, muito tempo gasto com inimigos que não existem. Como dizem popularmente: "É muita vela boa gasta com defunto ruim". No caso, muito tempo, empenho e adrenalina desperdiçados com situações pouco significativas, marcando a vida com excesso de sal e vermelho.

Sinais e sintomas dos distúrbios ansiosos

Você já parou para pensar que prestar atenção em algo é deixar de prestar atenção em todo o resto? Quando nos concentramos em alguma coisa, todas as outras ficam distantes, reduzidas, longe da nossa preocupação consciente. Isso é fundamental para entendermos o outro mecanismo pelo qual a ansiedade detona nosso rendimento.

O ansioso foca o motivo de sua tensão. Pode até ampliar o rendimento relacionado a essa tarefa, mas reduz o rendimento de todo o resto. Por exemplo, se estou ansioso com determinada apresentação de trabalho, baixo meu rendimento social. Para um ansioso, o cobertor da cognição é curto: cobre-se um santo, descobre-se outro.

Quem convive ou conviveu com alguém muito ansioso sabe bem do que estou falando. A pessoa está sempre fazendo ou pensando em alguma coisa paralela, parecendo dispersa ou mentalmente sobrecarregada. Mesmo que esteja aparentemente realizando uma única coisa, sua mente está dividida, com preocupações constantes em segundo e terceiro planos, como um computador com vários programas abertos ao mesmo tempo. Chamamos isso de modo cognitivo em multitarefa, que, assim como no computador, pode tornar o rendimento mais fraco e lento naquele momento.

Como podemos ver, a ansiedade turbina o rendimento mental quando a intensidade é de leve a moderada e quando a motivação da ansiedade está no centro da realização. Com o aumento da intensidade, ocorre o efeito contrário. A cognição se perde no acelerar da mente perdida em pensamentos intrusivos, com o medo excessivo e com o incômodo dos sintomas físicos.

Pensando de forma matemática, podemos dizer que existe uma relação diretamente proporcional entre o estresse e o rendimento intelectual até certo ponto – ou seja, quando um aumenta, o outro também aumenta. Depois desse limite, a relação é inversamente proporcional – quando um aumenta, o outro diminui. Isso gera uma curva de rendimento em forma de sino, na qual o melhor desempenho geralmente se situa na faixa de estresse intermediário.

Vamos a um exemplo simples e objetivo: um aluno testado em uma prova de vestibular.

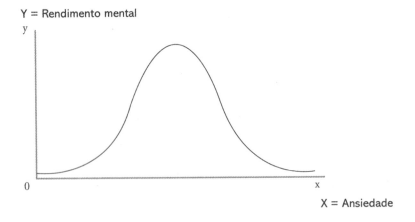

Relação entre ansiedade e rendimento mental

Cenário 1: Vestibulando sem ansiedade
É muito estranho imaginar uma pessoa que esteja completamente tranquila em uma prova assim tão importante e complexa. A falta de tensão pode sinalizar falta de comprometimento. A ausência de medo do resultado não ajuda naquela turbinada final da concentração e na imersão na tarefa característica dos momentos decisivos. Lembra-se da resposta de luta ou fuga? Em momentos como esse, um pouco de adrenalina e cortisol ajudariam na conquista de pontos preciosos.

Sinais e sintomas dos distúrbios ansiosos

Cenário 2: Vestibulando com um pouco de ansiedade

Ele mostra preocupação antecipatória, certo receio e tensão, principalmente nos primeiros minutos da prova. Tudo isso é normal e bem-vindo, está no contexto e no pacote. O cérebro reage como um órgão que está sendo testado, provocado, instigado a mostrar o seu melhor. É um ambiente de estresse que mantém o aluno sem desconfortos físicos, sem distrações ambientais e sem pensamentos concorrentes. Eis o espectro saudável e de alto rendimento: a tarefa está no alvo da ansiedade, o momento destoa do comum, a hora é agora, e merece um tratamento de hiperfoco e de empenho emocional diferenciado.

Cenário 3: Vestibulando com muita ansiedade

Acima do ponto de equilíbrio, surge o prejuízo. Um aluno excessivamente tenso sente-se desconfortável, respira errado, transpira além da conta, sente um receio paralisante, titubeia na hora de encontrar a resposta, comete erros no gabarito e por aí vai. Pode apresentar brancos, falta de criatividade, pensamentos intrusivos recorrentes e negativos, sofrendo de forma exagerada por uma ou outra questão e comprometendo o rendimento final da prova. O excesso de estresse dificulta o gerenciamento de tempo, gera mais tensão muscular e atrapalha até a caligrafia da resposta dissertativa ou da redação.

Perceba como a relação entre ansiedade e cognição é dinâmica e variável. Isso é muito decisivo em situações de desempenho, como entrevistas de emprego, provas, apresentações de trabalho, reuniões e competições esportivas. Muitos atletas e estudantes de excelente nível nos treinos apresentam baixas provocadas pelo desequilíbrio diante do estresse. Outros, pelo contrário, apresentam baixa por falta de ansiedade, denotando um fraco entusiasmo ou comprometimento.

O cérebro ansioso

A tal "gana" ou "raça" pela vitória passa por esse ganho funcional gerado pela tensão antecipatória. Com isso, surge uma faixa, uma janela de excelência que varia de contexto a contexto, de pessoa para pessoa, mas precisa ser encontrada em momentos decisivos. Vamos agora resumir os efeitos negativos da ansiedade patológica na cognição humana.

Problemas de atenção

Ansiosos podem apresentar uma conexão excessiva com o futuro e suas alternativas e, por isso, se desconectarem do presente, perdendo a atenção e a oportunidade de executar adequadamente atividades importantes. Além disso, apresentam pressa em fazer as coisas, correndo contra o tempo sem necessidade, realizando tarefas sem cuidado e com alta taxa de erro. Outro aspecto são as preocupações paralelas, que geram um eterno modo multitarefa que fragmenta o rendimento.

Problemas de memória

Se a atenção dança, a memória dança junto. Simples assim. Isso porque a memória é uma função dependente da atenção. Se estamos desatentos, não fixamos adequadamente a informação, surgindo lapsos. Ansiosos esquecem a chave, a carteira, o celular, o local onde estacionaram o carro etc. O ritmo frenético de pensamento e o ato de fazer uma coisa já pensando em outra não ajudam no rendimento cotidiano da memória. Crises de ansiedade e tensão também geram os famosos brancos, um problema marcante de evocação de memórias. Isso ocorre em provas, entrevistas e apresentações. Quando você precisa, o cérebro perde o rastro e não encontra uma informação obviamente memorizada. Isso piora ainda mais a angústia, gerando mais dificuldade. Passa-se um apuro danado na hora H e então, minutos depois, lá vem a informação bonitinha, completa, sem dificuldade alguma. Não dá uma raiva? A informação sempre esteve ali, mas o excesso de tensão impediu sua evocação.

Falta de criatividade

A criatividade é a fina flor da cognição humana. Não conheço outra função mais nobre. Ser criativo é buscar caminhos e alternativas não trilhados, improváveis, lançando um olhar diferente para um velho problema. Um cérebro criativo precisa ser dinâmico, correr riscos, testar hipóteses, arriscar-se em terrenos desconhecidos. Pessoas criativas são bem-humoradas, sensíveis e emotivas, que precisam encantar e chocar. Não é uma atividade cerebral comum, e por isso eu respeito muito uma mente criativa.

É curioso que quando pensamos em pessoas criativas nos lembremos de pessoas um pouco ansiosas. Aliás, ambientes criativos costumam atrair e valorizar os mais ansiosos, como agências de publicidade, setores de marketing e criação, espaços artísticos etc. Isso decorre de vários aspectos da personalidade mais ansiosa que favorecem esse ramo de atuação. São pessoas com as emoções mais à flor da pele, com um entusiasmo diferente. Como essa mente busca constantemente alternativas, não se sente confortável e não aceita o lugar-comum. Eis um certo casamento entre a ansiedade e o contexto, mostrando uma face não patológica. Talvez, se colocássemos alguém com essas características para trabalhar na portaria de um prédio, manuseando uma máquina perigosa ou até mesmo operando um cérebro, teríamos um desarranjo nos sintomas, revelando um aspecto patológico. Isso demonstra como o contexto delimita o grau de impacto da ansiedade na qualidade de vida, criando o limite entre a saúde e o transtorno.

Agora, mesmo quando a criatividade é estimulada, existem limites. Formas intensas de ansiedade bloqueiam essa função. A ansiedade grave traz medo, pensamentos pouco flexíveis, engessados, e busca por alternativas seguras, empobrecendo o gerenciamento criativo. Quem já teve contato com alguém com fobia, pânico, TOC ou ansiedade generalizada sabe do que estou falando. A patologia fica reverberando e dissipa uma parte relevante da energia cognitiva do portador. Por vezes, a pessoa fica metódica e muito desconfortável quando está fora dos limites de sua zona de conforto, replicando rotinas e fazendo algumas coisas sempre do mesmo jeito, como uma forma de se defender da vulnerabilidade.

Pensamentos intrusivos

Nosso cérebro cria nossos pensamentos e reflexões a partir do contexto, das memórias, de expectativas e de conexões mentais. A função deles é analisar a situação e gerar tomadas de decisões a todo segundo. Em pessoas muito ansiosas, podem surgir pensamentos recorrentes e intrusivos, martelando algumas coisas que geram desconforto físico e mental. Esses pensamentos patológicos são geralmente negativos, involuntários e fora do contexto, atrapalhando o rendimento. Alguns autores gostam do termo "ruminações mentais" para esses pensamentos recorrentes e "mal digeridos".

O ansioso pode pensar, por exemplo, que há um constante risco de vida, ou que um familiar corre perigo, por exemplo. Ou que deixou a porta aberta, o gás ligado, luzes e aparelhos acesos etc. Pensamentos intrusivos podem girar em torno de medos pessoais ou culturais assumindo características de preocupação excessiva ou mesmo de obsessões, gerando comportamentos recorrentes, compulsivos ou mesmo de fuga do problema imaginário, característicos de alguns transtornos ansiosos.

Sinais e sintomas dos distúrbios ansiosos

Pensamentos recorrentes automáticos, intrusivos e desconfortáveis podem surgir em praticamente qualquer transtorno ansioso, mas são bastante frequentes e característicos no TOC (transtorno obsessivo-compulsivo). Falaremos sobre esse transtorno com mais detalhes no próximo capítulo.

Os principais sintomas da ansiedade

Sintomas psíquicos		
Sofrimento antecipado	Amplificação do estresse	Medo e insegurança
Irritabilidade e intolerância	Angústia e sensação de urgência	Despersonificação e desrealização

Sintomas físicos		
Estado hiperalerta (coração, respiração, tremores, sudorese)	Tonturas (vertigem fóbica)	Distúrbio de sono
Alteração de peso e apetite	Problemas sexuais	Dores musculares
Distúrbios gastrointestinais	Tiques e inquietação	Alteração do ritmo de fala

Sintomas cognitivos	
Desatenção	Problemas de memória
Baixa criatividade	Pensamentos intrusivos

O cérebro ansioso

PONTOS IMPORTANTES DESTE CAPÍTULO

- Os transtornos de ansiedade se apresentam de diversas formas.
- O diagnóstico passa pela avaliação e interpretação de um especialista, afastando doenças que possam explicar melhor os sintomas apresentados.
- A ansiedade pode trazer uma gama muito grande de sintomas físicos, emocionais e cognitivos, sendo importante conhecer suas características principais.

AS SÍNDROMES ANSIOSAS

Imagino que, se você chegou até aqui, já esteja, neste momento, bem familiarizado com certos termos e muitos conceitos que facilitarão nosso trabalho daqui por diante. Neste capítulo, iremos abordar as síndromes ansiosas, falaremos sobre os diagnósticos propriamente ditos e conheceremos algumas histórias inspiradas em casos clínicos reais, mas adaptados em prol da didática e da preservação total da identidade do paciente.

Como vimos no capítulo anterior, a quantidade de sintomas possíveis na ansiedade é bastante extensa, podendo se manifestar praticamente no corpo todo. Além disso, o quadro pode ser de intensidade e contexto bem característicos, crônico, agudo, ter causas específicas ou não etc. Por isso, para facilitar a comunicação, as pesquisas e a educação médica, agrupamos os pacientes parecidos em conjuntos de características semelhantes. Todos são portadores de ansiedade patológica, mas se apresentam dentro de um subgrupo específico. É como se a doença tivesse um nome (ansiedade) e um sobrenome (tipo de ansiedade). Essas classificações ajudam bastante, pois, às vezes, as manifestações clínicas

O cérebro ansioso

são tão diferentes entre si que parecem outra doença, tendo tratamentos e prognósticos diferentes. Os principais transtornos de ansiedade são:

- Transtorno de ansiedade generalizada (TAG);
- Síndrome ou transtorno do pânico;
- Fobias específicas;
- Síndrome do estresse pós-traumático (SEPT);
- Transtorno do estresse agudo;
- Compulsões;
- Transtorno obsessivo-compulsivo (TOC).

Existem outras classificações e transtornos além dos citados acima, mas esses são os mais comuns. Ainda assim, é importante ter em mente que, mesmo dentro de um subgrupo específico, cada paciente mostrará sua peculiaridade; nenhum caso é igual a outro, ainda mais em uma doença tão individual e heterogênea como a ansiedade. Dizemos que quem conhece um caso de ansiedade conhece um (e somente um) caso de ansiedade.

Eventualmente, um paciente ansioso pode apresentar mais de uma síndrome no mesmo momento ou até em momentos diferentes da vida. Por isso, eles não são diagnósticos excludentes entre si.

Às vezes, a ansiedade é um sintoma de uma doença clínica (como o hipertireoidismo, a síndrome de abstinência ou o efeito colateral de medicamentos). Outras vezes, a ansiedade é um sintoma acessório de outro transtorno mental, como depressão, transtorno afetivo bipolar, distúrbio de personalidade etc. Nesses casos, a ansiedade é por vezes entendida dentro do contexto do transtorno principal, não sendo classificada nos transtornos apontados acima.

As síndromes ansiosas

Posto isso, vamos à descrição resumida dos principais transtornos. Lembrando que o intuito aqui não é estimular o autodiagnóstico, que deve ser feito sempre com a participação de um médico ou psicólogo, mas orientar pacientes, amigos e familiares no reconhecimento do quadro clínico, propiciando ferramentas para um diagnóstico precoce, melhorando a compreensão desse tipo de transtorno, facilitando sua prevenção, controle e tratamento. A informação ainda é nossa melhor arma em prol da saúde.

Transtorno de ansiedade generalizada (TAG)

Essa é uma das formas mais frequentes de ansiedade patológica, acometendo cerca de 4 por cento da população adulta mundial. Embora atinja ambos os sexos, é cerca de duas vezes mais comum em mulheres. O transtorno de ansiedade generalizada (TAG) pode começar em qualquer idade, mas aparece frequentemente em jovens adultos, entre a segunda e a terceira décadas de vida. Trata-se de uma forma característica, marcada por sintomas crônicos que se manifestam diariamente ou quase diariamente. O quadro do TAG significa o aumento basal da ansiedade. O paciente sente tensão excessiva, preocupação intensa, irritabilidade, cansaço mental e físico. Os sintomas são difusos, desconfortáveis mas não avassaladores e agudos como no pânico, não são gerados em situações específicas como nas fobias, tampouco têm o início marcante da síndrome do estresse pós-traumático. Não existe um alvo específico, uma situação gatilho isolada, e em geral a pessoa sente-se desconfortável em boa parte do dia, numa média de mais de quinze dias por mês.

O cérebro ansioso

Para que seja feito o diagnóstico, recomenda-se que os sintomas sejam referidos por mais de seis meses, mas esse critério pode ser relativamente questionável em alguns casos. Na verdade, a grande maioria dos pacientes apresenta sintomas bastante antigos e arrastados, muitos até acreditam que sempre foram assim, excessivamente tensos, sofrendo desproporcional e antecipadamente, sentindo sintomas físicos característicos e desconfortáveis, como alteração gastrointestinal, respiração ofegante, coração acelerado, transpiração, dores, distúrbios do sono e por aí vai. Os sintomas podem variar bastante de um caso para outro. Além disso, podem variar ao longo do tempo, dependendo dos estressantes da vida, fazendo o transtorno oscilar em algumas fases.

É relativamente frequente que casos de TAG se associem a outras formas de ansiedade, com o transtorno de pânico, por exemplo. Outra associação frequente é com o transtorno depressivo, sendo o TAG um fator de risco para depressão se não tratado adequadamente.

A ansiedade do sucesso: o caso do cantor sertanejo

Conheci Jonas na primavera de 2014. Lembro disso porque ele me contou que lançaria uma música nova que acreditava que poderia ser um *hit* no verão que se aproximava. Já adianto que não foi. E não porque ele cantasse mal ou a música não fosse boa, tampouco por sua ansiedade. Ele cantava bem, muito bem, aliás, e também compunha e tocava violão; é daqueles artistas que se viram quase sozinhos, pelo menos para sobreviver da própria arte.

Apesar de seu sertanejo ser "universitário", Jonas só estudou até o ensino médio. Depois caiu no mundo, saiu de casa e de sua cidade, no interior de Minas Gerais, e foi buscar sua história em São Paulo, orientado e agenciado por seu primo e braço direito. Jonas falava bem, era articulado e sonhava em fazer sucesso.

As síndromes ansiosas

Eu o conheci com 29 anos, com doze anos de estrada, como ele dizia, e com cinco anos na estrada da ansiedade patológica.

Sabe, fui criado no campo, no meio das galinhas, correndo no chão de terra batida. Sou o quarto de oito filhos, sendo duas meninas. Na minha casa, nem todo mundo estudou. Lá teve de tudo, de formado em Direito morando em Salvador a semianalfabeto numa lavoura em Varginha. Segui meu rumo no meio-termo. Estudei, terminei a escola, mas sempre preferi a viola à caneta. Desde muito cedo eu canto, mas não tão cedo como eu gostaria.

Quando eu tinha 16 anos namorei uma mulher de 30. Ela fazia a primeira voz, eu a segunda, e seguimos cantando por um tempo em Minas. Foi uma fase boa, cantamos para 5.000 pessoas em uma festa de um vereador em Camanducaia uma vez. Escrevemos juntos duas músicas que, de tão ruins, nem a gente tinha coragem de tocar. Vivíamos bem e com pouco, era tudo novo e divertido, me lembro dessa fase com saudade. O amor e a parceria acabaram juntos, um ano depois. Segui meu destino, ela foi trabalhar na farmácia do pai. Troquei de dupla algumas tantas vezes, entrei em cada roubada... Então decidi seguir minha carreira sozinho, e essa foi a melhor e a pior decisão da minha vida. Embolsar um cachê integralmente, escolher o repertório, recusar contratos e escolher os finais de semana em casa são confortos conquistados na carreira solo. Mas não sei, nos últimos anos adoeci de tanto pensar. Sempre fui preocupado e agitado, mas está demais agora.

Minha mente não se aquieta, me sinto prisioneiro dos meus problemas atuais. Nos últimos dois anos, raramente me sinto relaxado e tranquilo, me sinto em um círculo vicioso, em uma prisão de ansiedade, mal me reconheço. Estou irritado, pessimista, me

O cérebro ansioso

desespero ao menor sinal de que algo possa talvez dar errado. Isso tem se refletido no meu corpo. Tenho dores de cabeça pelo menos três vezes por semana, deito na cama e fico repassando músicas, repertórios e frases para falar em cima do palco. Tento, mas não consigo desligar. Meu trabalho tem ficado maçante e meu rendimento dá apenas para o gasto. Me sinto cansado, exausto, com preguiça de escrever. Aliás, estou compondo uma música a cada três meses, antes chegava a escrever uma por semana. Estou sem criatividade e entusiasmo. O mais curioso é que minha carreira vai em sentido oposto, graças a Deus! Gravei três discos, tenho um show requisitado e não ganho mal, não, está dando até para guardar um pouco. Há três meses tenho sentido o coração acelerado antes dos shows, esqueço letras fáceis por distração e tenho pouca paciência para tirar fotos. Eu não sou assim. Sinto uma angústia no peito em vários momentos do dia. Ontem um cara pediu para eu tocar "Evidências", senti vontade de tacar o violão nele.

"Putz, eu adoro essa música", pensei.

Jonas parecia um menino do bem, trabalhador, humilde e talentoso. Nunca teve vícios, praticava esportes na medida do possível e veio à consulta com a namorada, que trouxe lá de Minas. Estavam juntos havia oito anos. Resolvi ouvir também a versão dela:

O problema dele começou há muitos anos. Jonas sofre com tudo e inventa problemas onde não tem. A maioria dos seus sofrimentos é relacionada a coisas que nunca ocorreram, mas trazem desgaste apenas pela possibilidade. Diante de uma questão banal relacionada ao próprio trabalho, ele fica desesperado e perde o sono. É mais fácil contar as vezes que ele está tranquilo,

As síndromes ansiosas

pois ele vive estressado. Conheci lá atrás um artista carismático, mais tranquilo e corajoso. Hoje, ele está amedrontado, inseguro e cada vez mais nervoso. O problema foi piorando aos poucos, nos últimos cinco anos talvez, doutor. O Jonas precisa de ajuda. Atualmente, ele tem recusado eventos distantes, não entra em avião pequeno, toma comprimidos para dormir, atrasa o início dos shows até se sentir confortável para entrar no palco e tem arrumado discussões por onde passa.

A visão dela era um pouco parecida com a dele, e as queixas se alinhavam. Tanto na visão de Jonas como na de sua namorada, havia um transtorno na quantificação do risco, do grau de estresse e da conexão com o tempo presente.

Esse é o TAG na sua forma mais clássica e límpida, um transtorno de ansiedade marcado por sintomas físicos, psíquicos e cognitivos, em uma evolução bem característica: arrastada, crônica e sem grandes picos, como se ele estivesse quase sempre um pouco mais ansioso que o normal. Existe impacto na qualidade de vida, inclusive no rendimento profissional, apesar de o transtorno não ser completamente incapacitante.

O meio artístico é bastante favorável para o aparecimento de transtornos de ansiedade. O grau de cobrança, os horários desregrados, a falta de rotina e a superexposição podem levar à expressão de tendências genéticas a esses transtornos. Acompanhei o caso de Jonas por cerca de dois anos. O tratamento trouxe bastante conforto clínico, mas não consegui vê-lo sem medicamento. Sua carreira teve altos e baixos, surpresas e frustrações. Até onde eu sei, ele continua vivendo de música e correndo atrás de seu sonho. De vez em quando, entro no seu canal do YouTube para espiar confiante sua evolução.

O cérebro ansioso

Síndrome ou transtorno do pânico

O transtorno do pânico é uma das ocorrências mais dramáticas conhecidas pela medicina. O termo é relativamente recente, sendo usado de forma sistemática a partir da década de 1990. No entanto, as descrições do quadro de sintomas são bem mais antigas, como já falamos no primeiro capítulo. Já recebeu muitas outras denominações como: coração irritável, astenia neurocirculatória, síndrome do esforço, entre outras. De qualquer forma, sempre se chamou a atenção para esse tipo de evento marcado por intensas e agudas crises de ansiedade, cognição catastrófica (impressão de que algo muito ruim vai acontecer) e ativação autonômica excessiva (franca liberação de adrenalina).

O paciente com transtorno do pânico apresenta uma tendência a ter crises recorrentes, marcadas por muita angústia e sofrimento. Caracteristicamente, os sintomas físicos predominam, como taquicardia (coração acelerado), falta de ar, tontura, formigamento dos membros etc. Isso leva muitos pacientes ao pronto-socorro e aos consultórios médicos para realizar investigações cardíacas, pulmonares e neurológicas antes de se definir o diagnóstico de um problema relacionado à ansiedade.

De maneira diferente da que ocorre no TAG, no pânico as crises são intensas e repentinas. Os sintomas surgem de forma associada e progressiva, podendo ser provocados por um fator externo ou ocorrer sem causa aparente, geralmente atingindo seu ápice em poucos minutos. Fazendo uma analogia bem simples, o TAG seria um mar revolto, constantemente agitado, e a crise de pânico seria uma onda gigante, um tsunami de sintomas ansiosos surgido de tempos em tempos.

As síndromes ansiosas

QUAL É A DIFERENÇA ENTRE SÍNDROME DO PÂNICO E TRANSTORNO DO PÂNICO?

Existe uma sutil diferença conceitual entre esses termos frequentemente usados tanto por médicos como por pacientes: a síndrome do pânico trata-se do evento clínico da crise ansiosa aguda, com sintomas físicos intensos, sensação de morte iminente ou perda de controle e muita angústia. Acredita-se que cerca de 15 por cento da população adulta no mundo possa ter uma crise isolada de pânico, eventual ou em um contexto específico. Já o transtorno do pânico é a descrição da doença que acomete as pessoas predispostas a ter crises recorrentes de pânico, com impacto na sua qualidade de vida e sua autonomia. Portadores de transtorno do pânico exigem, muitas vezes, um tratamento preventivo. Estima-se que cerca de 3 por cento da população adulta mundial tenha crises recorrentes em alguma fase da vida. Como podemos ver trata-se de uma diferença teórica que não compromete muito a comunicação, sendo aceitável a utilização intercambiável dos termos em diversos contextos e na linguagem informal. Seria como diferenciar a crise de enxaqueca da tendência a ter crises recorrentes de enxaqueca. Ao falar do evento clínico em si, utilizamos síndrome; ao nos referirmos a sua instalação e manifestação recorrente e patológica, falamos em transtorno ou doença.

O transtorno pode surgir de forma isolada, mas isso não é o mais comum. Geralmente, ele surge em pessoas com tendência a outras formas de ansiedade, como o TAG e eventuais fobias, mas também pode se associar a depressão, compulsões, abuso de substâncias, entre outras patologias. É um distúrbio mais frequente em mulheres, assim como o TAG, e pode aparecer em qualquer idade, da infância à terceira idade, mas é mais frequente entre a adolescência e os 40 anos.

Para entendermos o impacto das crises de pânico na vida de uma pessoa, precisamos discutir melhor um termo que apareceu anteriormente nesta obra: a agorafobia. Muita gente que sofre uma crise dessa intensidade passa a ficar com medo de ter uma nova crise. E isso é muito compreensível: após sentir uma avalanche de sintomas incontroláveis e desesperadores, a pessoa perde a confiança no próprio organismo. Esse medo de passar mal pode levar a pessoa a se esquivar de situações nas quais a crise parece mais provável ou de locais onde o suporte clínico e as rotas de fuga são mais dificultosas. O medo de passar mal é tão ou mais incapacitante que a própria crise em si, pois esse receio é crônico, limitante e contínuo. A ocorrência dessa ansiedade antecipatória e desse pensamento focado na potencial crise agrava bastante a manifestação clínica, gerando um círculo vicioso perigoso – cada crise gera mais ansiedade antecipatória, e essa tensão favorece ainda mais a ocorrência de crises.

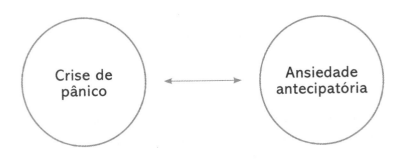

O círculo vicioso do transtorno do pânico

As síndromes ansiosas

O termo agorafobia é bastante abrangente, e pode significar fobia de locais abertos ou muito cheios, ou mesmo com poucas rotas de fuga. Hoje em dia, ele é mais compreendido como fobia de ter uma crise de ansiedade em situações de maior vulnerabilidade, um certo medo de ter medo, gerando esquiva de locais e situações específicas. Mais da metade dos pacientes com transtorno do pânico desenvolve essa complicação, que não é comum em quem nunca teve pânico.

Muitos autores dividem o transtorno de pânico em dois grupos: os com agorafobia e os sem agorafobia, sendo o primeiro geralmente mais grave e de difícil tratamento, pois o medo de passar mal pode permanecer mesmo com um tratamento bem-sucedido das crises.

Qual é o gatilho para uma crise de pânico?

Uma crise de pânico pode surgir em diferentes contextos. Por exemplo: a pessoa apresenta um medo específico e se expõe a ele, o que pode gerar uma crise de ansiedade. Há pessoas que não gostam de lugares apertados, outras não toleram altura, algumas não se sentem bem diante de determinados insetos ou animais, outras sofrem quando se sentem expostas. Nesses casos, temos crises induzidas por certas fobias, inatas ou desenvolvidas ao longo da vida, seja por exposições desagradáveis, seja por receios aprendidos ou instintivos.

Agora, existem também crises de pânico que ocorrem em situações cotidianas, aparentemente inócuas e fora do espectro das fobias conhecidas pelo paciente. Nesses casos, imagina-se que o cérebro do ansioso está propenso a supervalorizar mudanças e variações dentro do próprio corpo e no ambiente ao redor, gerando uma cadeia de eventos de amplificação.

Por exemplo: estou no meu sofá assistindo TV, quando sinto uma sutil aceleração das batidas do meu coração. Isso pode ser

O cérebro ansioso

interpretado como um evento mais relevante, gerando preocupação e amplificando essa aceleração. Outro exemplo: estou dentro de um avião, sendo que não tenho nenhum medo de voar, e percebo uma leve sensação de flutuação e frio na barriga, inerentes ao próprio ato de voar. Meu cérebro pode supervalorizar essa sensação ou a variação ambiental e culminar em uma sequência de amplificação, com liberação de mais adrenalina, gerando uma crise de pânico, mesmo se eu for um passageiro habitual.

Essa teoria coloca a hipervigilância e a supervalorização de pequenos sintomas e variações ambientais como gatilho de crises que ocorrem aparentemente do nada, em um contexto não fóbico.

Após o início dos sintomas, a crise se amplifica rapidamente, pois a atenção do paciente se volta intensamente para seu sofrimento. O quadro se dissemina como fogo na palha: com respiração mais rápida, formigamentos e amplificação intensa do medo etc.

Calma, chef, nada de pânico

Conheci Jéssica em 2016. Com 25 anos, formada em Gastronomia e recém-chegada da Inglaterra, onde foi estagiar em um restaurante renomado. Ela morava sozinha, pelo menos de segunda a sexta. Nos fins de semana, ela ficava na casa do namorado, médico anestesista.

No retorno ao Brasil, já tinha emprego garantido como chef assistente em um restaurante de comida indiana. Mas sua história com a ansiedade tinha começado anos antes, quando ainda estava na faculdade.

Não era uma prova difícil nem um dia complicado, mas algo ocorreu e mudou minha vida. Lembro como se fosse hoje. Eu estava sozinha na cozinha, testando uma receita de frango com ervas, por volta das oito horas da noite. Meu estômago foi o primeiro a dar o ar da

As síndromes ansiosas

graça. Senti uma leve náusea, nada de mais, seguida de um frio na espinha, daqueles que sentimos quando parece que uma alma penada passou do nosso lado. Pensei rapidamente se poderia ter deixado algo no forno ou me esquecido de ligar para alguém. Mas não. A náusea deu lugar a um vazio estranho no peito, o ar parecia entrar com dificuldade, lembro bem do cheiro das ervas no nariz e do gelado do frango nas mãos. Em segundos, minha preocupação aumentou. Senti um aperto no coração e passei a transpirar, principalmente no pescoço. Estava ficando apavorada, pensei que morreria ali sozinha, antes de construir uma família, concluir meu curso e sem ter a chance de me despedir. Pensei que me encontrariam dois dias depois, desfigurada. Fiquei com essa imagem na cabeça. Eu olhava ao redor e sentia que a cozinha estava estranha, como se eu estivesse dentro de um sonho. Algumas cores estavam mais vivas e havia um silêncio diferente para o meu apartamento no primeiro andar de uma rua agitada. Senti como se fosse desmaiar. Meu peito ficou quente por dentro e eu sentia esse calor indo para o rosto. Sentei no chão e abaixei a cabeça. Percebi que ainda segurava firmemente o garfo, soltei. Que sensação horrível. Tentava respirar devagar e mudar meu pensamento, mas só pensava na morte e que meu corpo nunca mais se recuperaria daquilo. Pensei que poderia ter sido envenenada ou que naquelas ervas haveria algo além dos temperos tradicionais. Peguei meu celular e liguei para minha mãe, que morava do outro lado da cidade. Grande ideia. Deu caixa postal. Liguei para o meu ex-namorado, para alguma coisa ele tinha que prestar... Chamou, chamou e nada. Deixei um recado bizarro em tom de desespero. Fiquei ali mesmo, parada e envolta no meu próprio sofrimento, melhorando aos poucos. Acho que tudo durou uns quinze minutos, longos e desgastantes. Guardei o frango na geladeira, tomei um banho rápido, deitei e dormi.

O cérebro ansioso

Eu ouvia atentamente o relato. A descrição de Jéssica é bem característica, e parecida com o relato de Camila, a garota do metrô, lembra? Em ambos os casos, há um quadro de início abrupto, sem clara motivação, recheado de sintomas físicos progressivos, envolvendo várias regiões do corpo, e uma percepção catastrófica de uma doença grave em curso, com risco de vida ou perda de controle. Os sintomas foram um pouco diferentes, mas estão dentro do mesmo espectro ansioso. Aqui, o estômago, a angústia, a sudorese e a desrealização deram o tom da crise. Diferentemente de Camila, Jéssica não procurou o hospital na primeira crise, apesar de ter buscado ajuda durante o episódio. Acredito, em parte, que a vivência mais solitária e a vida mais independente de Jéssica tenham gerado algumas peculiaridades em seu caso.

Perguntei a ela como acordou no dia seguinte.

Acordei no mesmo dia, na verdade. Por volta das onze da noite levantei me sentindo melhor, entrei na cozinha para beber água e comer alguma coisa e fiquei com medo novamente. Não tive os sintomas de antes, mas me senti insegura e fiquei o menor tempo possível lá. Contei para minha mãe o ocorrido e ela ficou muito preocupada. Lembrou que uma prima dela tinha morrido por causa de um aneurisma cerebral e resolveu marcar um clínico e um neurologista.

Jéssica passou então por uma bateria de exames, como eletroencefalograma, Holter de 24 horas, ecocardiograma e exames de sangue. Tudo estava dentro da normalidade. Fez uma ressonância da cabeça que também não identificou nada significativo. Isso tranquilizou a família por um lado e a preocupou por outro. O neurologista falou da suspeita de síndrome do pânico, com uma

As síndromes ansiosas

primeira crise não provocada, optando por observar a evolução dos sintomas ansiosos. E eles evoluíram. Jéssica passou a se preocupar excessivamente com quaisquer sintomas físicos: um mínimo formigamento, uma dor qualquer, uma pequena sensação de desconforto no peito ou estômago já a faziam reviver a possibilidade de uma nova crise. Ela passou a faltar às aulas, evitar receitas longas, minimizando o tempo na cozinha, andar sempre acompanhada e começou a desconfiar do próprio corpo. Perceba como o pânico transcende a própria crise.

Foram três semanas esquisitas. Primeiro, recebi o convite para ir para a Inglaterra no final daquele ano. Era um sonho e uma oportunidade única, fiquei muito feliz. Mas e o medo? Medo da língua, medo da distância dos meus pais, medo de não corresponder à altura e medo de sentir medo. Sim, na hora da notícia, a primeira preocupação foi de passar mal lá, longe de tudo e de todos. Dois dias depois, tive minha segunda crise de pânico. Não vinha dormindo lá muito bem, na noite anterior fui deitar tarde, depois de duas taças de vinho que tomei com uma amiga. Conversamos muito, inclusive sobre minha primeira crise, não sei se isso pode ter contribuído. Só sei que despertei às quatro da manhã já com meu coração batendo no pescoço e com bastante falta de ar. Essa crise foi mais rápida e repentina que a anterior. Levantei da cama e fui direto para a janela, buscando um pouco de ar. Entrou um vento gelado, misturado com a neblina da madrugada. Senti uma grande angústia novamente, misturada dessa vez com frustração. Não era possível estar ocorrendo de novo, logo comigo. O que eu tinha feito para merecer aquilo? Mas dessa vez eu não estava sozinha. Minha amiga, que estava preocupada comigo, dormia na sala. Gritei e ela logo apareceu, me sentou na cama e, olhando nos

O cérebro ansioso

meus olhos, pediu que eu imitasse sua respiração. Novamente eu estava pingando de suor, dessa vez com lágrimas nos olhos e com as mãos trêmulas. A sensação de morte foi menor, mas ainda existia. A presença dela e a vivência anterior me deixaram um tiquinho mais confiante. Respirei com ela, lenta e profundamente. A crise durou uns dez minutos. Não consegui mais dormir.

Os fenômenos de ansiedade antecipatória, fobia da cozinha e tensão aumentada após a primeira crise já não mostravam um bom prognóstico. Agora, essa recorrência intensa e precoce sinalizava definitivamente uma necessidade de intervenção.

Minha cabeça piorou. Nesse dia fiquei péssima, pensei que podia estar ficando louca de vez, que essas crises poderiam piorar e me impedir de viver minha vida, pensei que eu era fraca e que ninguém acreditaria no que eu tinha sentido, pensando que era tudo um exagero. Eu queria sumir. Resolvi ir a um psicólogo e foi a melhor coisa que eu podia ter feito.

O temor de Jéssica era uma preocupação real dessa vez: como as pessoas receberiam suas queixas? Mesmo os profissionais da saúde podem apresentar um certo preconceito e descrédito acerca de queixas relacionadas à ansiedade. Com isso, o paciente sofre três vezes: a primeira com a crise em si, a segunda com o medo de ter novas crises e a terceira com a ignorância e o preconceito dos outros, incluindo amigos e familiares. Muita gente não acredita nesse tipo de doença, considerando-a exagero, fraqueza de caráter ou de personalidade, uma simulação para chamar atenção e por aí vai. Como assim não deu nada nos exames? Então é tudo invenção, não tem doença nenhuma!

As síndromes ansiosas

As pessoas acham que conhecem os sintomas da crise de pânico por já terem sentido medo alguma vez na vida. Julgam e medem outras pessoas segundo a sua própria régua. Isso é de uma ignorância sem tamanho. A crise de pânico é um evento absolutamente involuntário. Os sintomas são sentidos exatamente como são descritos, isso quando existem palavras capazes de descrevê-los. A descarga de adrenalina é bastante real e gera alterações perceptíveis no exame físico e mesmo nos exames realizados dentro da crise. Sentir medo diante de algo é uma coisa, ter uma crise de pânico é outra bem diferente: a intensidade, o acúmulo de sintomas, a duração e a repercussão mental do pânico o diferenciam completamente do medo natural que todos nós sentimos de vez em quando.

Atualmente, o transtorno do pânico está entre as dez doenças mais incapacitantes do mundo. É doença com "D" maiúsculo, com crises agudas e tendência a recorrência crônica. Gera profundos impactos de rendimento emocional e social, culminando em sofrimento para o paciente e para quem o cerca. O fato de não ser definida por exames não quer dizer nada, até porque a grande maioria das doenças psiquiátricas e neurológicas também não é. Qual é o exame para diagnosticar o autismo, por exemplo? Não existe. Ele é feito pela avaliação clínica. E para a enxaqueca? Também não existe, o diagnóstico é clínico. Que tal a esquizofrenia? Nada de exames. E isso vale para depressão, intestino irritável, fibromialgia, dislexia, déficit de atenção etc.

Os determinantes do transtorno de pânico e outras formas patológicas de ansiedade envolvem fatores genéticos, hormonais, culturais, de história de vida, entre outros. Mas esse tema será mais bem debatido no próximo capítulo, na discussão dos determinantes do desenvolvimento da doença.

O cérebro ansioso

Mas e Jéssica? Bom, o psicólogo reconheceu nela sinais de ansiedade limitante, encaminhou-a para tratamento médico e iniciou a terapia. Nos meses subsequentes ela deu trabalho, teve muitos sintomas, outras duas crises de pânico no intervalo de trinta dias e desenvolveu uma forma leve de depressão. Até que o tratamento engrenou e ela seguiu para a Inglaterra bem mais equilibrada, tudo isso um ano antes de eu conhecê-la.

Na Inglaterra, ela manteve o tratamento por mais três meses. Então, resolveu parar com a medicação e ficou sem a psicoterapia. Seguiu bem mais uns dois ou três meses até ter novas crises de pânico, uma delas no seu apartamento na periferia de Londres. Uma foi mais fraca, e outra mais intensa, dentro da cozinha onde estava estagiando.

Meu Deus, lá vamos nós outra vez. Casa cheia, cozinha caótica. Sorte que eu já era bem conhecida no lugar. O auxiliar esbarrou nas panelas, derrubou o molho no chão junto com algumas tampas de alumínio. Foi meu *start* desta vez. "Cheiro de queimado, cadê a Jéssica?", gritou o outro chef. Mas eu já estava lá fora, em busca de ar e de paz, envolta em pavor, cortisol e adrenalina, esperando a crise passar para acender meu cigarro. Isso não é vida, pensei. Voltei a me tratar por lá. Consegui terminar meu estágio e voltar ao Brasil.

Acompanho Jéssica desde então. Ela tem seus altos e baixos, mas até que vai bem. Insisto na prevenção do excesso de estresse e da ansiedade, na atividade física, na terapia e nas escolhas pessoais. Vira e mexe, ela precisa de medicação e responde bem. A síndrome do pânico não vai incapacitar minha paciente, não!

As síndromes ansiosas

Fobias específicas

Fobias são medos exagerados provocados pela exposição a um fator gatilho, ou até pela expectativa da exposição, que gera uma cadeia de eventos ansiosos, como sintomas desconfortáveis e comportamento de esquiva e evitação.

Trata-se de um transtorno ansioso muito comum e heterogêneo, havendo casos intensos e incapacitantes e outros sem maior gravidade ou de impacto mais sutil.

De modo geral, nosso medo é guiado pelo risco, sendo relativamente proporcional à probabilidade de ocorrência. O medo normal e saudável funciona como mecanismo de proteção e sinal de alerta para nos ajudar a tomar decisões mais cuidadosas. Já nas fobias, o medo sofre perturbações e apresenta-se bastante exagerado, gerando sofrimento e limitando a possibilidade de enfrentamento.

Por exemplo, existem pessoas que têm fobia de locais fechados (a famosa claustrofobia), tendo inclusive dificuldade para realizar exames como ressonância magnética. Elas sentem angústia, taquicardia, falta de ar, tontura e suor excessivo, sintomas que impedem a realização desse exame.

Outra fobia relativamente comum é com relação a animais, principalmente insetos. Claro que ninguém, ou quase ninguém, gosta de barata (é um bichinho meio nojento), mas algumas pessoas têm respostas absolutamente desproporcionais, como se tivessem se deparado com um alienígena assassino, o que não é bem o caso. Em alguns casos, como na aversão a insetos e líquidos corporais, a sensação de receio e necessidade de evitação pode ser um pouco diferente da concepção normal de medo e temor, sendo por vezes descrita como nojo, asco, aflição, entre outros termos de desconforto psíquico e físico.

O cérebro ansioso

Existem centenas de possibilidades no que se refere ao objeto de uma fobia específica: medo de altura, de elevador, de eventos naturais (como chuva, trovão, ondas etc.), de dirigir, de avião, de sangue ou fluidos corporais, de escuro, entre muitas outras coisas, sendo que algumas pessoas podem ter mais de uma situação gatilho.

São vários os motivos que podem levar alguém a desenvolver fobias. Geralmente, quem as desenvolve são pessoas que já apresentam uma tendência ansiosa, podendo haver um componente genético nisso. A determinação da situação gatilho pode se estabelecer por uma experiência traumática prévia. Nesse caso, a vivência ameaçadora ou excessivamente estressante pode explicar, em parte, o receio de novo enfrentamento. Assim, a fobia seria uma espécie de medo aprendido.

Há dois ditados populares que versam mais ou menos sobre isso:

- *Gato escaldado tem medo de água fria.*
  Esse é bem famoso e usado no dia a dia, e se refere a experiências negativas que moldam o comportamento.
- *Cachorro mordido por cobra tem medo de linguiça.*
  Esse é menos comum e tem suas variações populares, mas também versa sobre uma experiência negativa que gera um comportamento receoso e de evitação.

Quando uma ocorrência gera uma emoção, é normal que fique uma ligação na memória do indivíduo que acaba por provocar um comportamento condicionado. Essa situação tem muito a ver com o aprendizado. Existem muitos experimentos que avaliam comportamentos condicionados pela experiência anterior, gerando respostas aprendidas. O mais famoso talvez seja o

As síndromes ansiosas

experimento de Ivan Pavlov, que recebeu o Nobel de Medicina. Ele revolucionou alguns conceitos em medicina e neuropsicologia no início do século XX, sendo hoje uma das bases da terapia cognitivo-comportamental (TCC), um tipo peculiar de psicoterapia muito estudada em transtornos de ansiedade, com resultados bastante interessantes em fobias específicas.

Pavlov estudou a produção de saliva nos cães. No início, seu único dado era que cachorros expostos à comida quando estavam com fome produziam mais saliva. Até aí tudo bem, é uma resposta normal. Mas, conforme prosseguia seus estudos, aos poucos Pavlov passou a perceber que outros estímulos também geravam produção aumentada de saliva, como quando o cachorro ouvia o barulho do deslizar do recipiente de comida ou mesmo quando ouvia os passos dos seus tratadores. Os cães associaram esses ruídos à oferta de alimento, o que gerava uma resposta antecipatória (no caso, a saliva). Com essa teoria, Pavlov desenvolveu experimentos controlados, associando a alimentação ao toque de um sino. Com o tempo, o simples toque do sino, sem exposição a alimentos, já gerava salivação nos animais.

Esse elegante experimento indica que nosso comportamento, mesmo que pareça automático e involuntário, é gerenciado, em algum grau, pelas nossas vivências. Essa descoberta nos ajuda a compreender melhor a possibilidade do desenvolvimento de fobias por conta de exposições a eventos negativos ou mesmo do surgimento de outras formas de ansiedade (por exemplo, o medo de Jéssica de voltar à cozinha do apartamento onde teve sua primeira crise de pânico).

Na verdade, esse papo de comportamento condicionado é ainda mais importante. Pensemos: se um evento negativo pode desencadear uma resposta negativa, há a possibilidade de intervir

O cérebro ansioso

para fazer o contrário! Ou seja, desfazer ou substituir certos comportamentos aprendidos em alguns pacientes. Essa é a base da terapia cognitivo-comportamental. Nessa terapia, o paciente aprende, mediante exposições progressivamente mais desafiadoras e dentro do seu contexto fóbico, a gerar uma espécie de tolerância ao seu medo (dessensibilização). Falaremos muito mais sobre isso nos próximos capítulos.

Barata, não!

Por um tempo, acompanhei Marina, uma paciente com enxaqueca e um quadro moderado de TAG. Ela tinha 34 anos, era casada e tinha dois filhos, um de 6 e outro de 8 anos. No meio de uma consulta, papo vai, papo vem, ela me contou um mico que havia pagado em uma recente viagem de férias com a família. Estavam todos em torno da piscina do hotel, no interior de São Paulo, em um delicioso dia de sol. As crianças tinham acabado de sair da água, e eis que surge a ilustre convidada: uma pequena baratinha, correndo em zigue-zague. Pronto! Foi o suficiente para Marina se descontrolar.

Fui a primeira a avistar aquele inseto asqueroso, vindo logo para cima de mim. Parece que eu atraio essas desgraças! Meu peito acelerou e eu senti um medo incontrolável, não conseguia nem raciocinar. Fiquei tremendo e derrubando as coisas ao meu redor, era coco rolando, cadeira caindo, latinha vazia de refrigerante indo para o chão. Eu comecei a gritar, chamando a atenção de todos os hóspedes. Meu desespero era tão grande que eu me atirei na piscina de shorts e chapéu, pensando que a barata não conseguiria nadar. Odeio baratas mais que tudo no mundo.

Ouvindo o relato, parecia uma resposta desproporcional. Perguntei desde quando isso ocorria. Ela explicou:

Nunca gostei de baratas, acho que ninguém gosta, aliás, mas minha fobia se agravou quando eu tinha 13 anos e fui dormir na casa de um tio, em Santos. Como havia poucas camas, dormi em um colchão fininho. Adivinha? No meio da madrugada acordei e, ao abrir os olhos, me deparei com ela, a maior barata do mundo, olhando para mim, com suas anteninhas se movimentando. Entrei em pânico. Ela estava a menos de 10 centímetros do meu nariz e parecia prestes a me atacar. Levantei correndo e taquei o travesseiro nela. Claro que errei. Ela voou e passou triscando minha cabeça, deu para ouvir seu bater de asas. Foram 15 segundos horripilantes. Meu irmão apareceu e, sem hesitar, pisou na coitada com o chinelo, num golpe único e fatal. A partir daí não consigo mais encará-las. Qualquer contato é desesperador. Mesmo na televisão, preciso trocar rápido de canal. Não aguento nem em revista, em história infantil... sem chance, nada de baratas! Cheguei a me sentir mal com um vídeo da Galinha Pintadinha, uma vergonha.

Aqui o medo, talvez com nojo associado, foi exacerbado por uma vivência traumática, mas talvez não gerado completamente por ela, pois provavelmente já havia uma predisposição a tal ocorrência no primeiro evento.

Seja como for, existe uma alça de *feedback* negativo bem clara: a exposição inicial me levou a um grupo de sintomas desagradáveis, logo devo evitar uma nova exposição para não sofrer novamente. Nessa ótica, a esquiva e a evitação geram um padrão contrário, um *feedback* positivo: eu evito baratas, mantenho-me distante delas e pronto, não sofro mais.

O cérebro ansioso

Quando a fobia é de barata, tudo bem; ninguém é obrigado a conviver com elas, de modo geral. Trata-se de uma fobia mais inocente, socialmente aceitável e com pouco impacto na qualidade de vida. Mas fobias podem ser direcionadas para eventos mais frequentes e inevitáveis, e aí temos um impacto muito mais evidente na vida de uma pessoa. Imagine alguém com tanto medo de voar ou de falar em público que acabe perdendo grandes oportunidades no trabalho, por exemplo.

Agora, é importante lembrar que o medo tem origens variadas e dinâmicas, e nem sempre é resultado de experiências desagradáveis prévias. Existem medos inatos, herdados e instintivos. Por exemplo, filhotes de várias espécies sentem medo quando uma sombra aparece logo acima da cabeça deles, quando são fitados pelo olhar de um predador natural ou mesmo ao se distanciar da mãe. São receios inatos, não ensinados, cravados no DNA por milhares de anos de evolução. Também existem medos culturais, de algo ensinado ou que paira no imaginário coletivo. O ser humano já teve medo de grandes carnívoros à solta por aí, já teve medo de deuses da mitologia, já se assustou com monstros vindos do mar; hoje, tem medo do Estado Islâmico, por exemplo. O medo tem seus aspectos contemporâneos, históricos e sociais. Não precisamos ser sequestrados para temer um sequestro, nem sobreviver a um incêndio para ter medo do fogo. Como seres inteligentes, conseguimos nos colocar no lugar dos outros, desenvolvendo um aprendizado comportamental com experiências de terceiros ou mesmo imaginadas. Mas medo tem limite. Como sempre nesta obra, a patologia surge quando esse limite é superado.

As síndromes ansiosas

A caixa do pânico

Era sexta-feira, último horário, e eu já estava louco para ir para casa. Tinha sido uma semana difícil no consultório, com muitos problemas. Eis que me aparece, atrasado em 15 minutos, um caso novo. Douglas era um rapaz alto, bem acima do peso, com 25 anos. Estava sozinho, todo suado e ofegante.

Desculpe, doutor, doze andares é coisa para atleta. Até o terceiro vai que vai, acima disso, tenho que subir parando e tomando ar. Antes que você pergunte, elevador não é para mim! E, como pode ver olhando meu porte físico, escada também não.

Meu cansaço passou repentinamente; um paciente espirituoso e com comportamento assim diferente fascina qualquer neurologista. Lá pelas tantas, perguntei mais sobre seu problema com elevadores.

Elevador? Para mim é um item de tortura medieval, uma caixa do pânico. Minhas experiências dentro de elevadores foram todas negativas. Entrar em um quadrado apertado, sem janela, com ferro para todo lado, movido por um computador, puxado por cordas em um sistema de contrapeso, você está louco! Sofro muito para entrar, transpiro e tremo como vara verde. Quando a porta se fecha é como se me aprisionassem, me sinto sufocado. Aí ele resolve sair do lugar, meu Deus! Quem teve essa ideia? O tranco inicial só reforça meu pavor. Meu corpo sente o movimento do bloco como se eu estivesse em queda livre ou sendo arremessado para algum lugar. Sinto vertigem e fico nauseado. Os sintomas pioram progressivamente. Não compensa, obrigado, prefiro ir de escada! E já tentei várias

O cérebro ansioso

vezes. Sempre alguém insiste para que tente de novo, dizendo que acidentes são raríssimos, que os elevadores hoje são modernos, que têm geradores e sistemas eficientes de manutenção ou resgate, enfim. Isso convence meu lobo frontal, mas não minha amígdala! Estou esperto nesse tema, doutor, andei lendo. O problema é que, a cada nova tentativa, sinto o mal-estar mais cedo. Logo, acho que viverei sem elevador.

É interessante notar que, no caso de Douglas, ele não teve nenhuma experiência realmente negativa como gatilho da sua fobia: nunca ficou preso nem viveu algum acidente. Mesmo assim, seu cérebro ansioso gera amplificação da tensão e vigilância excessiva com relação a variações no corpo e no ambiente. Com isso, surgem experiências e memórias que associam o elevador a sofrimento, produzindo o condicionamento e a ansiedade antecipatória. Note que o medo dele não é racional. Ele até tenta racionalizar seu medo, até por ser um cara inteligente, justificá-lo, mas sem muito sucesso. O medo é desproporcional e Douglas sabe disso. Existem, nesse caso, nuances claustrofóbicas (medo de lugar fechado), com pitadas de vertigem fóbica (medo de altura ou movimento vertical) associadas a fatores inatos, condicionados e de aprendizado.

Se Douglas vivesse em uma cidade térrea do interior ou morasse em uma fazenda, sua fobia específica seria possivelmente irrelevante. Mas, morando em São Paulo, haja escadas, atrasos, transpiração e tempo para ficar se justificando.

Esse paciente foi acompanhado por cerca de um ano e melhorou mais com a terapia cognitivo-comportamental do que com os medicamentos que prescrevi. Hoje, ele sobe quatro andares sequenciais de elevador, mas não entra se houver pessoas estranhas ou se o

As síndromes ansiosas

elevador for antigo. Se ele precisa ir para um andar mais alto, faz várias viagens curtas, saltando e aguardando alguns minutos antes de retornar ao elevador. Com isso, atenuou um pouco seu sofrimento.

A ansiedade expressa na forma de fobia específica é uma patologia bem variável. A marca do diagnóstico é a presença dos sintomas ansiosos mais exuberantes (físicos, psíquicos e cognitivos) quando ocorre a exposição ao medo. Como vimos, aqui também há uma grande diversidade de quadros. O quadro pode evoluir de experiências traumáticas prévias ou não e se apresentar de formas leves e não incapacitantes (aliás, isso é algo muito comum). Nesses casos, consideramos que não há uma patologia, um problema a ser tratado. Agora, em casos com impacto no rendimento e alteração relevante na qualidade de vida, um tratamento com terapia cognitivo-comportamental, associada ou não a medicamentos, costuma ser recomendado. Casos de fobias frequentemente se associam a outras síndromes ansiosas, como compulsões, TAG e mesmo síndrome do pânico.

Fobia social

Essa é uma das formas mais frequentes de ansiedade, ocorrendo em cerca de 10 por cento dos jovens e adultos pelo mundo. Geralmente separamos esse tipo de fobia das outras por conta de suas peculiaridades.

Na fobia social, o alvo da ansiedade é mais difuso, podendo envolver todos os aspectos da interação pessoal, o que torna muito difícil a esquiva sem um franco comprometimento do rendimento pessoal e profissional do indivíduo.

Nesse tipo de fobia, surgem sintomas de ansiedade, preocupação excessiva e sofrimento antecipatório no contexto de exposição. O paciente desenvolve receio do julgamento alheio ou de ter um baixo desempenho social. Isso gera desconforto físico e psíquico, principalmente em exposições orais, apresentação de trabalhos, interação com grupos, avaliações, encontros amorosos, participação em festas e outras interações, por vezes até mais corriqueiras.

O paciente com esse tipo de transtorno sente-se frequentemente avaliado, analisado e julgado, sendo que o medo de um desempenho embaraçoso leva a um evidente desconforto, que não ajuda em nada a resolver a situação. Muito pelo contrário, o receio excessivo do julgamento alheio leva à autocobrança demasiada e à tendência ao isolamento. É assim, fugindo dos outros e de qualquer situação de exposição, que o paciente se esquiva do gatilho de sua ansiedade. A causa do transtorno é complexa e multifatorial. Existe tendência genética, a que chamamos de fator biológico (vamos falar mais sobre isso no próximo capítulo), mas também participam do desenvolvimento da fobia aspectos de vivências negativas anteriores (memória traumática), perfeccionismo, elevada cobrança pessoal, baixo limiar de frustração, entre outros. O problema geralmente se torna evidente na adolescência, uma fase de franco desenvolvimento da identidade e ampliação da exposição interpessoal.

Muitas vezes, a pessoa sente-se tensa para iniciar uma conversa, não consegue quebrar o gelo. Fica inibida em uma roda de conhecidos, não consegue se expor adequadamente em reuniões profissionais, sofre na apresentação de trabalhos, e assim por diante. A dificuldade e os sintomas ansiosos ocorrem em situações diversas, aparecendo com um certo gradiente de

As síndromes ansiosas

intensidade: algumas atividades são mais fáceis, outras mais complicadas. Além da interação e exposição durante a fala presencial, o paciente também pode apresentar desconforto para se alimentar em público, falar ao telefone, atender clientes, entre outras atividades.

Os sintomas variam caso a caso, podendo predominar sintomas psíquicos, como medo, angústia e tensão emocional; ou sintomas físicos, como tremores, sudorese, taquicardia, falta de ar, e até mesmo sintomas gástricos e intestinais. Seja como for, o grau de influência do transtorno na qualidade de vida precisa ser marcante para o diagnóstico, que se pauta na história clínica.

Na verdade, todo mundo vez ou outra se sente tenso com uma situação social, principalmente durante o desenvolvimento de nossa personalidade. Sentimos frio na barriga, desconforto em apresentações e tensão antecedendo exposição a situações atípicas. Isso é absolutamente normal, ainda mais na adolescência. Mas os sintomas não nos paralisam, nem nos levam a sofrimento, perda brusca de rendimento e comportamentos de esquiva. Além disso, desenvolvemos ferramentas de enfrentamento para situações semelhantes, evoluindo com mais segurança e confiança com nosso amadurecimento social. Por tudo isso, o diagnóstico de fobia social precisa ser criterioso e não pautado apenas na avaliação de uma ou outra ocorrência ansiosa. O profissional fará o diagnóstico em casos de sintomas intensos, situações muito desproporcionais e franco impacto, com perda de rendimento e de oportunidades.

O quadro precisa ser diferenciado da timidez (característica bem mais branda e menos incapacitante) e de outros casos de isolamento social, como o autismo, por exemplo, nos quais outros sintomas estão presentes.

O cérebro ansioso

Os olhos dos outros

Conheci Érica quando ela tinha 17 anos. Era uma menina fechada e observadora, com cabelo preto na altura dos ombros, magra, de pele bem branca e óculos de armação preta. Parecia desconfortável na primeira avaliação, com a perna esquerda agitada e as mãos frias.

Interação pessoal não é o meu forte. Não que eu não tente ou não queira, mas simplesmente não consigo. Nem sei quando tudo isso começou, mas tem mais de três anos. Cada trabalho que tenho que apresentar lá na frente da sala é um martírio! Meu intestino solta dois dias antes, fico ensaiando na frente do espelho, mas na hora é sempre igual, dá sempre na mesma. Bate um desespero, um branco na mente, sinto como se todo mundo estivesse prestes a rir de mim. Se tento segurar o *laser*, que desastre! O feixe de luz sai tremendo e apontando para todo lado, fico gaga e sinto como se estivesse num barco. O tempo não passa, corre lento como minhas gotas de suor. Prefiro ficar uma semana em jejum a falar na frente da sala. Busco sempre um grupo em que alguém goste de falar, me desdobro nos bastidores, mas a hora H não é comigo. Tenho muitas outras dificuldades. Conversar com um garoto que não conheço, por exemplo. Meu Deus, nem pensar! Minha cabeça fica angustiada e acelerada, não vem nada que sirva para dizer. Sinto que sou desagradável, desinteressante, chata. Sinto minha boca seca, minhas mãos parecem uma gelatina. Em festas, fico pelos cantos, me aproximo de grupos, mas não consigo entrar na conversa. Meu coração não me dá sossego, na minha vez de falar, parece que o tempo congela, todo mundo olha para mim esperando um comentário interessante ou engraçado, mas só falo coisa óbvia e sem graça, sou o próprio constrangimento ambulante. Sou

As síndromes ansiosas

um grande desastre social, simples assim. Tenho poucos amigos, pessoas meio parecidas comigo. Me sinto muito frustrada, não confio nem um pouco em mim, como alguém pode confiar? Não me vejo passando em uma entrevista de emprego, arrumando um namorado, nem mesmo tirando carteira de motorista. Só de pensar, já sinto meu corpo fora de rotação.

Érica era um caso clássico e grave de fobia social. Quando a conheci, ela não se dava nem uma chance de correr o risco. Sua ansiedade antecipatória bloqueava boa parte de seus relacionamentos interpessoais. Sua exposição era mínima e sofrida. Ela trazia sintomas de depressão, rendimento escolar limítrofe, baixa autoestima e falta de perspectivas de futuro. Seu medo era como uma bola de ferro amarrada em sua perna. E, sem sorrir para a vida, a vida raramente sorri de volta. A automonitorização de seus sintomas, aliada à sensação contínua de estar sendo avaliada e julgada, não permitia que ela tivesse relacionamentos naturais. A busca por um ideal de conduta e uma *performance* transformava todos os seus jogos em finais de campeonato. Isso é insustentável, artificial e está fadado ao fracasso. Sem direito ao erro, a vida fica insuportável.

Note que ela queria se relacionar, entendia a importância das interações, até as supervalorizava. Érica não era antissocial, o meio social é que era anti-Érica, ou pelo menos era assim que ela percebia as coisas. Ela fazia planos e tentou se expor por um tempo. Mas o transtorno é cruel e traiçoeiro, e as exposições infrutíferas geram mais *feedback* negativo e sensações ansiosas, reforçando sua limitação, em uma espiral descendente. Na primeira vez que desistiu de tentar, ela sofreu, mas menos. Essa é a base do comportamento evitativo.

O cérebro ansioso

Mas como será que esse caso evoluiu?

Com Érica o tratamento foi intensivo, com direito a longas conversas no consultório, medicamento para alavancar a ação da serotonina combinado com mudanças de estilo de vida, além da intervenção de uma espécie de *coach*, em vez de um psicólogo (minha recomendação inicial). Em nove meses, ela já era outra pessoa. Na verdade, ela se tornou quem sempre foi, mas sem o prisma maligno da patologia. E o mérito foi todo dela, que soube aproveitar as ferramentas de saúde à sua disposição e elencou um conjunto de ações para buscar novamente o enfrentamento. Mesmo incrédula e cansada, com a desesperança de um transtorno crônico aliada a uma síndrome depressiva que se sobrepôs, ela foi à luta. Transformou seu visual, seu comportamento, seu ritmo de vida, reequilibrou-se física e emocionalmente e fez o principal ajuste: o das expectativas. Combatendo seu principal inimigo, a luta ficou mais branda. Não que ela esteja curada atualmente, mas já encara seus desafios sociais com muito mais jogo de cintura. Seu olhar desfocado pela ansiedade via um leão onde havia um gatinho selvagem, talvez uma jaguatirica, no máximo.

Agora, com óculos mais ajustados e se sentindo mais leve, ela, aos poucos, irá se alimentar de vivências positivas, recondicionando seu sistema nervoso. O trabalho é lento e desafiador, mas vale a pena. Para ser vista de forma mais natural, Érica precisou se redimensionar, de dentro para fora. Precisou trabalhar sua autoestima e aceitar as limitações inerentes ao processo de exposição social. Muito antes de querer ser aceita, Érica precisou se reconciliar consigo mesma, pois o pior olhar sobre si não era o dos outros, mas sim o seu próprio.

As síndromes ansiosas

Para mim foi um caso marcante, no qual o ajuste do fator biológico (a disfunção cerebral da serotonina), aliado ao tratamento psicoterápico (feito de certa maneira pelo *coach*, por todos que cercam e gostam de Érica e por ela mesma), surtiu um ganho funcional relevante.

Hoje, ela não é a mais popular da turma (mas também não é a mais impopular), não arrumou um namorado (apesar de ter praticado aqui e ali), ainda sente desconforto em apresentações (mas não tanto quanto antes), ainda não passou na prova para tirar a carteira de motorista (porque subiu na guia de tão nervosa), mas está jogando o jogo da vida, refletindo melhor, aceitando as derrotas e as vitórias e buscando sua felicidade.

Nesses anos todos atendendo e refletindo sobre transtornos ansiosos, aprendi algo que gostaria de compartilhar. Você quer muito alguma coisa? O primeiro passo é querê-la menos! Tirar o peso e a pressão de cada engajamento, deixar rolar, desqualificando um pouco seu alvo, vivendo com suavidade e bom humor. Claro que essa é uma arte complicada, pois a expectativa não tem determinantes apenas conscientes, mas vale a pena praticar! Se este livro levar você a essa única implicação prática, já terá valido a pena escrevê-lo.

Síndrome do estresse pós-traumático (SEPT)

Vamos seguir nosso passeio pelas formas de ansiedade, discutindo brevemente esse outro horizonte clínico.

Na síndrome do estresse pós-traumático (SEPT), que também pode ser chamada de transtorno do estresse pós-traumático

(TEPT), os sintomas ansiosos iniciam depois de uma situação emocionalmente intensa e traumatizante, que geralmente envolve risco de vida ou lesões graves a si ou a pessoas queridas. Essa síndrome foi inicialmente correlacionada a ex-combatentes de guerra e retratada por vários filmes, como *Sniper americano* (2014) e *Até o último homem* (2016). Foram descritas centenas de casos em diversas guerras em vários períodos históricos, principalmente nos últimos 150 anos, na Guerra Civil Americana, na Primeira e na Segunda Guerra Mundial, na Guerra do Vietnã, entre outras. No entanto, mais recentemente, o conceito de estresse pós-traumático tem incluído quaisquer eventos extremos nos quais a pessoa sentiu-se profundamente ameaçada, horrorizada ou em um estado de franca vulnerabilidade e paralisia emocional. Isso inclui desastres naturais, acidentes de trânsito, sequestros, violência física ou sexual, atentados terroristas, acidentes graves com animais, entre outras ocorrências. A pessoa pode ser a vítima direta ou ser uma testemunha do evento.

No Brasil, a síndrome do estresse pós-traumático foi historicamente pouco abordada, devido ao baixo engajamento do país em guerras, baixa incidência de desastres naturais e certo distanciamento da ação terrorista. No entanto, o país desponta como um dos países com maiores índices de violência domiciliar, urbana e acidentes de trânsito, apresentando tendência alarmante para o transtorno de estresse pós-traumático sob essa ótica mais abrangente de eventos traumáticos.

A marca do transtorno é a presença do evento gatilho (traumático) seguido de sintomas ansiosos intensos por mais de trinta dias após o ocorrido (até trinta dias consideramos os sintomas como uma resposta a estresse agudo). Os sintomas giram em três eixos principais:

As síndromes ansiosas

1. *Revivência:* a pessoa pode experimentar sensações desagradáveis parecidas com aquelas sentidas durante o evento traumático: medo intenso, *flashbacks*, imagens mentais, percepções sensoriais, pesadelos recorrentes etc. Esses sintomas podem surgir de forma espontânea ou ser motivados por alguma exposição ao gatilho ou a alguma vivência relacionada ao trauma, como um cheiro, um som, uma ocorrência brusca etc.

2. *Sintomas de ansiedade:* muitos descrevem crises marcadas por franco desespero e sintomas físicos intensos, como tontura, palpitações, náuseas, falta de ar e impressão de estar vivendo de novo parte de suas sensações e emoções traumáticas. O paciente pode desenvolver crises semelhantes ao pânico e também apresentar sintomas ansiosos mais leves e contínuos. Por vezes, pode se mostrar constantemente irritado, hiperalerta e inseguro.

3. *Fuga e comportamento evitativo:* como o paciente se sente vulnerável e à mercê de sintomas ansiosos e de suas próprias memórias, ele passa a evitar contatos e vivências que possam favorecer a ocorrência de crises. Com isso, pode se isolar e desenvolver sintomas depressivos.

A pessoa com síndrome do estresse pós traumático sente se profundamente impotente e vulnerável. A desregulação do seu mecanismo cerebral de risco e a atividade autonômica exagerada, com grande descarga de adrenalina, o deixam com os nervos à flor da pele. Qualquer estímulo relacionado pode desencadear uma série de memórias intensas e aterrorizantes. O quadro pode durar de meses a anos depois do ocorrido e trazer repercussões psicológicas e comportamentais.

O cérebro ansioso

A visão atual do transtorno aborda duas questões importantes com relação à causa dos sintomas. A primeira é o fator externo, a ocorrência do trauma, que precisa ser intenso, ameaçador e geralmente fora do controle e da expectativa da pessoa. Já a segunda é o fator interno, que é a predisposição que a pessoa tinha, antes de o evento ocorrer, a ter esse transtorno de ansiedade.

Mesmo diante de grandes tragédias percebe-se que algumas pessoas não desenvolvem a síndrome pós-traumática, recuperando-se no intervalo de até um mês depois do evento. Por isso, o fator biológico não deve ser deixado de lado. Não existe a síndrome de estresse pós-traumático sem ter havido um trauma, mas existem traumas sem o desenvolvimento da síndrome. Esse fator biológico pode ser determinado geneticamente ou ser facilitado por experiências estressantes anteriores.

O reconhecimento da síndrome do estrese pós-traumático como uma das formas mais importantes de ansiedade teve repercussões sociais, políticas e econômicas importantes porque reduziu o preconceito sobre as vítimas de catástrofes e violência, além de gerar ferramentas de prevenção, combate e recuperação. Criou o conceito de que a pessoa sai de uma guerra, mas nem sempre a guerra sai da pessoa, e que momentos pontuais podem gerar reverberações crônicas e incapacitantes.

Além disso, esse transtorno é um modelo de estudo do fator ambiental nos transtornos de ansiedade, pois existe um marco no tempo que desperta a patologia, um fator causal evidente relacionado com os sintomas subsequentes. Isso mostra que nosso cérebro se desorganiza, sim, quando inadequadamente estimulado, fazendo com que uma predisposição se torne uma doença.

As síndromes ansiosas

Conheci muitas pessoas que tiveram transtorno do estresse pós-traumático, a maioria por violência urbana, após sequestros--relâmpago, assaltos à mão armada ou agressões físicas, outras depois de acidentes graves de moto, enchentes etc. Essas são as causas mais encontradas aqui no Brasil. Mas o caso que vou usar para nossa ilustração é importado. Na verdade, mais ou menos importado, você vai entender.

Vivo um atentado terrorista por semana

Bianca tinha 27 anos quando a conheci. Era fotógrafa e morou nos Estados Unidos por dois anos, sendo o último deles em Boston. Tinha voltado ao Brasil havia apenas três meses, antecipadamente, para buscar ajuda médica e da família.

Não gosto nada de revisitar esse dia, mas vamos lá. Dia 15 de abril de 2013, maratona de Boston, 14h40. Meu cérebro estava bom. Feliz e realizada, eu tirava fotos a pedido de alguns corredores e buscava *closes* que pudessem ter algum valor artístico ou comercial. Em alguns poucos segundos, eu já estava no inferno. Após a primeira explosão, senti como uma eletricidade correndo pelo meu corpo, dei dois passos para trás e observei, não consegui correr, gritar nem rezar. Senti uma tontura esquisita e derrubei a câmera no chão. Talvez tivesse sido a hora de dispará-la, mas foi impossível. A primeira leva de pessoas passou por mim desesperada e rápida, a segunda passou mais lenta e mancando, alguns ficaram para trás e eu comecei a entender a gravidade da situação. Ouvi outra explosão à minha esquerda, Senhor! Senti um medo desesperador, meu coração só acordou nessa hora. Senti um frio estranho no peito. Que sensação horrível de impotência, nada do que fizesse ali faria alguma diferença.

O cérebro ansioso

Resolvi me afastar um pouco, senti que meu pé esquerdo não estava legal, mas dava para pisar. Via corpos no chão, som de gente descontrolada, sirenes...

Bianca vivenciou um dos mais conhecidos atentados terroristas dos Estados Unidos, no qual dois irmãos chechenos estouraram duas bombas feitas de panela de pressão e pregos, ferindo centenas de pessoas e causando algumas mortes. Os ferimentos mais graves de Bianca não estavam aparentes – a torção do tornozelo não era nada frente à síndrome do estresse pós-traumático que viria na sequência. O terrorismo fazia mais uma vítima usando sua principal arma: o terror. O efeito da surpresa, da ação covarde e impiedosa que impõe perplexidade geram um efeito cascata com uma disfunção cerebral crônica, principalmente em pessoas com predisposição à ansiedade.

Fiquei muito mal nos dias seguintes, meio anestesiada. Sentia angústia e uma sensação de formigamento no corpo. Só dormia com calmante e passava os dias chorando. Sentia um zumbido na cabeça e uma zonzeira esquisita, saía o mínimo de casa. Fiquei imprestável por quase duas semanas.

Após um evento traumático como o descrito por Bianca, a pessoa pode passar por uma fase de adaptação, assustada, com sintomas depressivos e ansiosos. Chamamos isso de resposta ao estresse agudo; quando muito intensa, alguns dizem que a pessoa está em "estado de choque". Essa fase pode durar até quatro semanas (são os trinta dias que mencionamos antes), algumas vezes necessitando de ajuda médica. O paciente pode apresentar sintomas físicos e psíquicos, pode parecer distante, aéreo, meio

As síndromes ansiosas

desconectado das atividades e por vezes apresenta despersonalização e desrealização. A instabilidade emocional pode levar a crises intensas de melancolia e angústia com sintomas de revivência do momento do trauma.

Fiz terapia nessa fase e recebi ajuda de um psiquiatra. Em três ou quatro semanas eu estava melhor. Busquei retomar minha vida, voltar a tirar fotos, me exercitar, enfim. Mas não foi como eu gostaria. De tempos em tempos, tenho pesadelos horríveis, todos mais ou menos parecidos, em que sou sequestrada, ameaçada, torturada... não aguento mais, acordo fora de mim. De dia, fico assustada. Se vejo uma notícia sobre qualquer atentado, meu coração dispara e tenho crises de desespero. Não tolero mochilas, pregos nem panelas. Preciso evitar tudo que remete ao atentado, senão os sintomas e pensamentos negativos voltam com tudo. Me sinto fraca e frustrada, sou uma sobrevivente, mas vivo como uma escrava do meu sofrimento. Gostaria de poder relaxar. Semana passada passei muito mal quando ouvi um estampido na rua; era um escapamento com defeito ou algo assim, corri para me esconder atrás de um carro, foi ridículo. Chorei, vivenciei minha angústia sozinha. Na minha cabeça, era outra ameaça terrorista. Toda semana é assim.

Bianca desenvolveu um quadro de ansiedade crônica, com sintomas recorrentes de revivência, sofrimento antecipatório e esquiva. Seu cérebro se alterou de tal forma que seus sensores de risco tinham agora um novo limiar. O medo extremo de uma ameaça real gerou um franco desbalanço, com respostas hiperdimensionadas, totalmente desproporcionais e motivadas por gatilhos questionáveis.

O cérebro ansioso

Quando a conheci, ela tinha cinco meses de SEPT. Seu tratamento foi feito com medicamento, mudança de estilo de vida e terapia cognitivo-comportamental. Na última vez em que nos encontramos ela estava relativamente bem, sem crises intensas havia alguns meses, mas ainda com algum comportamento evitativo. Ela estava redigindo um livro sobre suas experiências, um *mix* de relatos e fotos inspiradoras. A ideia foi da sua terapeuta, que fez um trabalho brilhante de dessensibilização e administração de memórias traumáticas.

Bianca não foi nem será mais a mesma. O tratamento não tem a capacidade de anular vivências traumáticas; não temos ainda pílulas de esquecimento. Nossas lembranças são patrimônios pessoais, intransferíveis, que nos tornam indivíduos únicos e dinâmicos, gerando impacto direto na nossa *performance* cognitiva e emocional. O problema, nesse caso, não é a lembrança triste em si ou o receio da recorrência, mas sim a reverberação traumática totalmente fora de contexto e a disfunção na análise de risco que vai além dos limites da fase aguda.

Transtorno obsessivo-compulsivo (TOC)

Vamos discutir brevemente essa última vertente ansiosa. Na verdade, não seria a última, já que podemos ficar aqui discorrendo eternamente sobre formas diferentes de ser, ficar ou estar ansioso nessa vida, debatendo infinitamente sobre casos e mais casos em que a função normal do corpo assumiu uma face patológica e passou a complicar a vida das pessoas.

Mas, a título de abordagem didática, vamos focar em apenas mais essa forma característica: o famoso transtorno obsessivo-compulsivo

As síndromes ansiosas

(TOC). Digo famoso porque temos aqui um dos mais curiosos e conhecidos transtornos de ansiedade, abordado em séries, filmes, revistas e entrevistas, cercado por histórias exóticas e ocorrências estranhas, e quase sempre exposto de forma romanceada, anedótica e cômica. Mas a realidade do paciente é bem menos glamorosa e engraçada – temos aqui um dos distúrbios mais frequentes e incapacitantes de que se tem conhecimento.

Alguns autores colocam o TOC dentro do grupo de doenças ansiosas porque a ansiedade é uma marca entre o pensamento intrusivo (obsessivo) e o comportamento a ele associado (compulsivo). No entanto, outros gostam de discutir e estudar o TOC como um transtorno à parte, devido a algumas características bem peculiares que o fazem destoar dos transtornos previamente descritos neste capítulo.

Seja como for, iremos abordá-lo aqui de forma resumida e objetiva sem a profundidade que merece, pois isso exigiria um livro só para ele, mas com as informações básicas necessárias para compreendermos sua manifestação e evolução.

O TOC pode surgir em qualquer fase da vida, da infância até a terceira idade, mas sua manifestação clássica ocorre na adolescência ou início da vida adulta (geralmente antes dos 25 anos). Trata-se de um transtorno crônico e oscilante, com fases de piora e melhora. Ele ocorre em ambos os sexos, sendo que nos homens tende a ocorrer mais cedo, por vezes no final da infância.

Existem dezenas de formas de expressão do TOC. Cada caso apresenta uma gravidade diferente, geralmente determinada pelo impacto na qualidade de vida, pelo tipo e frequência dos pensamentos obsessivos e pela intensidade dos comportamentos compulsivos. Antigamente, era considerado uma doença rara, mas, com a ajuda de estudos mais atuais, estima-se que o risco de

O cérebro ansioso

desenvolvê-lo durante a vida gire em torno de 2 por cento, colocando-o entre as mais frequentes doenças psiquiátricas.

A marca do transtorno é o desenvolvimento de um *looping* mental bastante característico. A pessoa passa a apresentar pensamentos e preocupações recorrentes, geralmente negativos, espontâneos e fora de contexto. Esses pensamentos, chamados de "obsessões", são intrusivos e desconfortáveis, causando angústia e ansiedade. Eles ocorrem de forma totalmente involuntária, gerando a necessidade de um comportamento de alívio. As obsessões podem girar em torno de diversos temas e preocupações, como a sensação de estar sujo, impuro ou contaminado, ou de que, se o indivíduo não fizer determinado ato, algo ruim vai acontecer consigo ou com outras pessoas. Podem surgir pensamentos relacionados a morte, doenças, pecados ou até de cunho sexual. É importante notar que o paciente não acredita realmente que a repercussão irá ocorrer – pessoas com TOC sabem que os pensamentos intrusivos são fantasiosos, mas mesmo assim não conseguem contê-los nem evitar completamente o comportamento de alívio.

As compulsões são variadas, geralmente estereotipadas, recorrentes e, quase sempre, sem muita utilidade prática, servindo apenas para o alívio psíquico. O paciente as realiza para sentir conforto, reduzir a ansiedade imposta pelo pensamento obsessivo. Não é ele quem escolhe o ritual; ele é escolhido. Para definirmos o comportamento como patológico, ele precisa ser intenso o suficiente para atrapalhar a rotina da pessoa. A compulsão causada pelo TOC traz um alívio passageiro da ansiedade, mas os sintomas ressurgem logo depois com uma nova intrusão e mais ansiedade, gerando o início de um novo ciclo que se apresenta desta forma:

As síndromes ansiosas

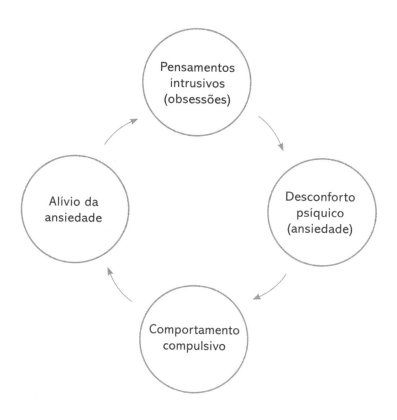

Looping do transtorno obsessivo-compulsivo (TOC)

O comportamento compulsivo pode ser um ato, como lavar as mãos, checar inúmeras vezes a porta, alinhar objetos, limpar excessivamente a casa etc. Mas também pode ser um ato mental, como pensar em uma sequência matemática, executar determinado padrão de pensamento, repetir mentalmente um certo grupo de palavras e assim por diante. Às vezes, o comportamento exigido para anular o desconforto é negativo, por exemplo: você deve evitar pisar em determinado piso, evitar

O cérebro ansioso

tocar em determinado utensílio, evitar usar determinadas cores etc. Nesses casos de compulsões evitativas, o diagnóstico é mais difícil, pois o hábito exagerado é menos evidente para as pessoas ao redor.

Todo mundo tem suas manias e preocupações recorrentes, algumas até meio esquisitas, mas isso por si só não define o TOC. Também evitamos falar em TOC quando o pensamento e o comportamento têm a ver com a religiosidade de alguém ou mesmo com suas superstições. Por exemplo, faço o sinal da cruz quando passo na frente de igrejas, nunca passo embaixo de escadas, bato três vezes na madeira para evitar que algo ruim venha a acontecer, e assim por diante. São processos culturais e alicerçados em crenças e valores de determinada sociedade. Precisamos ter cautela e bom senso ao definir algo como doença, já que temos versões discretas de sintomas parecidos em pessoas completamente normais. Checar duas vezes se a porta da frente está trancada, conferir de forma recorrente se o fogão está desligado, incomodar-se com objetos desalinhados são exemplos de sintomas que podem estar presentes em pessoas plenamente saudáveis. O limite da patologia é o limite do impacto.

No transtorno propriamente dito, o paciente consome muito tempo e energia mental no processo reverberante em que ele entra (geralmente mais de uma hora por dia). Sente frustração e tristeza ao se notar envolto em atividades repetidas e contraproducentes. Oscila entre o desconforto ansioso de um pensamento nitidamente absurdo ou exagerado e o constrangimento de ceder à tentação de um novo ciclo compulsivo. A pessoa com TOC perde rendimento. Sofre na tentativa de romper um ciclo mental, é dominada por sequências intermináveis e por vezes cria problemas sociais e até físicos com seus rituais.

As síndromes ansiosas

Por exemplo, o paciente apresenta obsessão de contaminação e impureza. Sente-se muito desconfortável e ansioso com a possibilidade de estar ameaçado, e por isso precisa lavar as mãos centenas de vezes ao dia. O ato gera um alívio transitório, mas a intrusão retorna com sua angústia característica, então ele lava de novo e de novo. Racionalmente, o paciente tem ciência de que o pensamento é exagerado e que a repercussão do ato é possivelmente mais deletéria que a proteção que ela promete, mesmo assim é escravizado pelo ciclo. Chega ao consultório com as mãos destruídas de tanta limpeza e com o sentimento de frustração de estar refém de um padrão mental cíclico e reverberante.

O pensamento obsessivo geralmente tem conexão com o comportamento compulsivo (o pensamento de contaminação e o ato de limpeza, o pensamento de assimetria e o ato de alinhamento, o pensamento de perigo e o ato de checagem, e assim por diante). Mas existem casos bastante peculiares e individuais. Alguns pacientes apresentam mais de um padrão de pensamento intrusivo e mais de um comportamento repetitivo ou evitativo.

Além do ciclo básico do TOC, os pacientes podem apresentar tendência ao perfeccionismo, baixa tolerância ao erro, distúrbios de autoestima, baixo limiar de frustração, comportamento metódico etc., algo bastante característico dos contextos de ansiedade. O transtorno sem tratamento pode assumir formas exuberantes, levando também ao desenvolvimento de sintomas depressivos e comportamento de isolamento.

O TOC pode se associar também a outros transtornos neurológicos e neuropsiquiátricos, como autismo, transtorno de déficit de atenção e hiperatividade, abuso de substâncias, síndrome

O cérebro ansioso

de tiques, entre outros. Existem formas genéticas, formas de causa indeterminada e até formas raras relacionadas a doenças infecciosas e autoimunes. Acredita-se que a causa seja, na maioria dos casos, multifatorial, incluindo predisposição genética e eventos ambientais.

O cérebro de alguém com TOC funciona de forma diferente, gerando pensamentos espontâneos e inquietantes e desenvolvendo atitudes neutralizadoras. O gatilho da obsessão inquietante nasce da falha de um complexo sistema de bem-estar, que adoece e supervaloriza a sensação de imperfeição, do errado e do disfuncional. Essa sensação se canaliza em um pensamento de amplificação catastrófica, levando ao comportamento neutralizador. Este surge como uma coceira mental, como uma tendência irresistível de solucionar o conflito inicial, como uma solução para a imperfeição instalada. O alívio é subtotal ou transitório, a sensação volta e o comportamento é novamente oferecido à mente ansiosa como alternativa única à desordem incômoda que nela novamente se instala.

Apesar de formas curiosas e anedóticas, o buraco da patologia é mais embaixo. A perda do controle sobre os pensamentos e a perda da autonomia na escolha do comportamento é a gênese de muito sofrimento, culminando na perda do livre-arbítrio, a maior marca da liberdade humana. O comportamento exótico que por vezes se instala dificulta o convívio social, colocando as formas graves de TOC (que afeta cerca de 15 por cento dos pacientes) também entre as dez doenças mais incapacitantes do planeta (lembre-se de que o pânico também entrou nesse *top* 10).

As síndromes ansiosas

Tinha um paciente no meio do TOC

Definitivamente, o caso de Anderson estava entre esses 15 por cento mais graves. O diagnóstico foi feito nos primeiros dez segundos de contato. Quando fui chamá-lo na sala de espera, ele se levantou do sofá deixando a revista aberta na mesinha de canto e se dirigiu à minha sala. No meio do caminho, ele parou, deu meia-volta, retornou ao sofá, sentou, pegou novamente a revista, fechou-a e a colocou novamente na mesinha de canto, dessa vez de maneira mais formal e alinhada. Olhou para mim, sorriu e disse: agora sim!

Entrou na sala seguido da esposa, sentou-se de frente para mim e não conseguiu esconder seu desconforto ao olhar para a minha mesa. Entendi o recado por telepatia, alinhei meu teclado, meu carimbo e coloquei a tampa na minha caneta. Ele acenou com a cabeça, menos tenso.

Doutor, não aguento mais.

Essas não foram palavras de Anderson, mas de sua esposa, Silvia, que prosseguiu:

Ele é uma sequência de rituais. Nos conhecemos há cinco anos, e ele está a cada dia pior. Desses cinco anos, pelo menos três ele passou imerso em comportamentos compulsivos. Este mundo em que a gente vive não é para ele; tudo parece imperfeito, fora de ordem, precisa ser corrigido, ajustado, refeito. Ele carrega uma angústia constante.

Anderson estava parado na cadeira do lado, mas algo me chamou a atenção. Seus olhos faziam um pequeno movimento para cima e para baixo, com certo ritmo, de tempos em tempos.

O cérebro ansioso

Tenho problemas com ordem, simetria e alinhamento. Meu cérebro rastreia o ambiente e se inquieta se percebe que algo merece um ajuste mais padronizado. Tento resistir e consigo algumas vezes, sempre com algum sofrimento. Tenho a sensação de que deixei algo para trás, de que minha negligência cooperou para a desorganização do mundo, é difícil de explicar. Meu desejo irresistível é de ajustar e realizar meus mais idiotas e inúteis comportamentos.

Ele era crítico em relação aos seus sintomas, mas não tinha controle. Pensamentos de organização e simetria geravam ansiedade, que clamava por intervenção. Esse padrão, por sua vez, gerava competição de pensamentos, baixo rendimento e perda de tempo. Os movimentos dos olhos de Anderson ainda me intrigavam, mas segui ouvindo sua descrição espontânea.

Odeio árvore de Natal, raramente consigo mantê-la simétrica, é um inferno. Mantenho meu cabelo raspado, senão perco horas no banheiro tentando arrumá-lo. Trocamos o piso da cozinha, deixei igual ao da sala, me incomodava muito. É complicado, pois por mais que eu tente organizar as coisas, meu objetivo nunca é alcançado. Basta eu trocar de ambiente ou apenas mudar o ângulo de observação e pronto, outra vez tudo parece desalinhado.

Havia um evidente impacto na sua qualidade de vida. Anderson tinha 36 anos, era um rapaz forte, de estatura média. Trabalhava como gerente de uma empresa multinacional de tecnologia, falava inglês, tinha estudado Economia e gostava de jogar pôquer aos finais de semana. Tinha um papo fácil, um sorriso simpático no rosto e uma rapidez de pensamento invejável. No entanto, parecia

As síndromes ansiosas

esquisito, desconfiado, seu olhar rasgava o campo visual e voltava para o centro. Ele parecia sempre tenso com algo que tinha deixado para trás ou com qualquer coisa com que sua mente encasquetava no momento. Tinha sempre uma pedrinha no sapato de seu cérebro. Resolvi examiná-lo. Ele se levantou da cadeira e, no caminho até a maca, tocou uma sequência de objetos: a mesa, a balança, a pia, a maçaneta e novamente a mesa. Então a esposa contou:

Ah, doutor, ele faz isso às vezes! Toca sequências de objetos, acabando sempre com o primeiro. Por vezes entra em um *looping* e o ciclo recomeça. Em casa, a sequência é sempre feita ao entrar ou sair do ambiente. De vez em quando, ele varia o objeto, mas noto que sempre começa e termina pelo piano.

Perguntei se ele tocava piano, ao que ele respondeu, bem-humorado:

Não, eu apenas toco o piano. Quem toca, e muito bem por sinal, é a Silvia. Ela é professora particular de música. Já tentou me ensinar, mas eu não progrido, minha mente se prende a trechos, fico a semana toda repetindo-os mentalmente, desisti de praticar por isso.

A doença de Anderson começou quando ele tinha cerca de 9 anos. Segundo sua mãe, nas palavras de sua esposa, ele tinha tiques e acessos de agressividade, algo que melhorou na adolescência. Seu TOC apresentava pensamentos e comportamentos múltiplos, uma franca ansiedade e o consumo de muito tempo e energia mental. Estava todo mundo cansado. Mas o que se via em seu comportamento exótico era apenas a ponta de um *iceberg*.

O cérebro ansioso

Minha mente está sempre em tarefas repetitivas, contando, criando linhas e fazendo sequências. Meu corpo extravasa com comportamentos ritualísticos apenas aquilo que minha cabeça não deu conta de resolver sozinha. Estou sempre dividido em duas tarefas, uma consciente, como essa nossa conversa, e outra mais automática, como a execução de sequências numéricas ou musicais.

Pronto, seu olhar rítmico estava explicado. Anderson tinha um TOC com comportamentos físicos e rituais mentais contínuos ou quase contínuos, e seus olhos refletiam essas sequências. Tocava sua vida em um constante modo multitarefa, tentando organizar seu mundo à mercê de seu padrão mental.

Pensei sobre a causa de um transtorno assim tão exuberante: será que eu estava diante de um TOC de origem genética ou adquirido por questões ambientais? Seria esse um TOC por lesão cerebral, como já descrito algumas vezes na literatura?

Das doenças psiquiátricas, o TOC é uma das mais neurológicas. Nele, a compreensão da disfunção do cérebro é mais nítida. A circuitaria que gera a reverberação do TOC parece ter, com mais frequência, uma disfunção mais anatômica e funcional do que em outros transtornos ansiosos. Por isso, ele é tido atualmente como uma das doenças mentais mais orgânicas, e seu estudo tem sido cada vez mais dirigido para causas genéticas ou mesmo adquiridas após infecções ou agressões imunológicas. No entanto, a maioria dos casos não tem uma causa determinada.

Anderson não tinha uma história de vida com qualquer evento que chamasse muito a atenção. Não havia outros casos em sua família. Ele tinha dois irmãos sem nenhuma manifestação do TOC, apesar de um deles estar em tratamento para outra forma

As síndromes ansiosas

de ansiedade. A investigação feita no cérebro de Anderson com ressonância magnética não demonstrou nenhuma lesão aparente nas estruturas envolvidas eventualmente com o transtorno, como lobos frontais, giro do cíngulo e gânglios da base, regiões específicas do cérebro.

A evolução do caso foi relativamente favorável. A despeito da gravidade, ele respondeu aos medicamentos mais modernos para esse transtorno e melhorou seu envolvimento com a atividade física. Faz terapia duas vezes por semana e está bem na vida profissional e pessoal. Ele não está curado, mantém centenas de rituais ao dia e apresenta alguma dificuldade residual para lidar com o estresse. Mesmo assim, o tratamento tem feito diferença e tem sido bastante significativo. A aceitação dele, da família e dos amigos também está sendo determinante para a redução na expressão e no impacto do TOC em sua vida. Às vezes, ele brinca comigo, entrando na minha sala tocando objetos, fingindo que está descompensado, mas eu já sei reconhecer quando é mentira ou não. Hoje eu enxergo um paciente com TOC – antes parecia um TOC com um paciente dentro.

Analisando os tipos de ansiedade

Neste longo capítulo, passeamos por diversas formas de ansiedade. Conhecemos oito casos inspirados em histórias reais, buscando apresentar as formas como a ansiedade patológica adentra a trajetória de vida de uma pessoa, mudando sua biografia. Saímos da frieza da descrição de sintomas e critérios diagnósticos e evoluímos para as manifestações pessoais, apresentando um contexto mais humanizado e individualizado do problema.

O cérebro ansioso

Cada caso teve seus mecanismos de desencadeamento, sua composição de queixas físicas e psíquicas, sua intensidade e seus desdobramentos. Cada paciente carregava seus medos e inseguranças, tinha seus sonhos e seu potencial. Como em um jogo de diferenças, poderíamos ficar aqui listando dezenas de aspectos individuais de cada caso apresentado, demonstrando que cada indivíduo adoeceu de um jeito, com um tipo específico de transtorno, mas prefiro, neste momento, fazer o exercício contrário. O que será que unifica todos os casos sobre os quais falamos?

- Em todos, a ansiedade mostrou-se excessiva, dominante e trouxe impacto negativo à qualidade de vida.
- Em todos, o sistema de regulação de medo e expectativa apresentou-se com um limiar alterado.
- Em todos, houve expressão física motivada por uma disfunção psíquica inicial.
- Em todos, o reconhecimento do problema e a busca por ajuda trouxe melhores resultados do que a negligência em relação aos sintomas.

Repare que existe um aspecto geral, de um transtorno evidente no modo de perceber e vivenciar o mundo. Todos os pacientes estão hiperalertas e hiper-reativos. No entanto, não são farinha do mesmo saco! Apresentam diferenças suficientes para serem alocados em diagnósticos diferentes, com credenciais diferentes dessa sopa de letrinhas que virou a classificação dos transtornos de ansiedade. Mas, mesmo se investigarmos pessoas com o mesmo diagnóstico e com o mesmo tipo de expressão, um olhar atento e humanizado sempre encontrará diferenças marcantes. Isso ocorre

As síndromes ansiosas

porque não nos deparamos com doenças, mas sim com doentes! Pessoas com milhares de peculiaridades unidas por uma tendência. O médico reconhece padrões, mas precisa exercitar a arte de encontrar as peculiaridades de cada caso.

Neste capítulo conhecemos Jonas, que tinha transtorno de ansiedade generalizada, lembra? Mas era mais cantor sertanejo que TAG. Jéssica tinha pânico e era chef de cozinha, ou será que era uma chef de cozinha que tinha pânico? Prefiro pensar nela como chef. Marina tinha TAG e enxaqueca, mas também era mãe! E pulou na piscina por sua fobia peculiar à barata (sorte da barata). A fobia também foi apresentada no caso fatídico do elevador, mas o paciente não era qualquer um, era Douglas. E o que você achou de Érica? Com seus medos e bloqueios sociais, não há como não se identificar e torcer por ela, pois ela é como nós, feita de carne, osso e expectativas. Bianca me ensinou um pouco mais sobre a fragilidade e a vulnerabilidade humanas. A fotógrafa que estava na hora errada no lugar errado me narrou com as lentes da sua memória (já que a câmera estava no chão) o crônico impacto de uma vivência traumática. Por fim, conhecemos Anderson, reverberamos um pouco com ele e seus *loopings* obsessivo-compulsivos e adentramos um tiquinho sua mente peculiar e fascinante.

Precisamos ajustar o nosso olhar para enxergar a história por trás da história, desfocar o prisma direcionado na patologia a fim de entender a conexão entre a doença e a biografia. Somente assim conseguiremos direcionar condutas e diagnósticos. Somente assim seremos verdadeiros alfaiates, personalizando nossas interações segundo as demandas individuais, escapando das padronizações do tipo P, M e G, que servem em todos, mas não servem especificamente em ninguém.

O cérebro ansioso

Temos milhares de Jonas, Biancas, Éricas e Marinas no mundo. Estão todos por aí, desenvolvendo limitações e buscando suas ferramentas de enfrentamento. Comprando lutas e arquitetando fugas. Esses personagens funcionam aqui como alegorias a serem transportadas para o nosso mundo real, preenchendo sua função didática de dar nome, personalidade e propósito a essa nossa reflexão sobre os limites da ansiedade e as formas de adoecimento do cérebro. Eles estão aqui para cumprir a tarefa de redimensionar nossa mente; não fechá-la em torno de padrões, mas expandi--la ao redor de alternativas.

PONTOS IMPORTANTES DESTE CAPÍTULO

- Os tipos de ansiedade são classificados em síndromes específicas, de acordo com o conjunto de sintomas preponderantes e a evolução clínica de cada paciente.
- As formas clássicas são: transtorno de ansiedade generalizada (TAG), transtorno do pânico, fobias específicas, fobia social, síndrome do estresse pós-traumático (SEPT) e transtorno obsessivo-compulsivo (TOC).
- O conhecimento de casos clínicos nos traz uma melhor visualização da integração entre o transtorno e a história de vida de uma pessoa, demonstrando o aspecto limitante da doença.
- O reconhecimento precoce e a intervenção direcionada são ferramentas preciosas no enfrentamento e restabelecimento da qualidade de vida.

O QUE CAUSA UM TRANSTORNO DE ANSIEDADE?

Até aqui já debatemos inúmeros conceitos relacionados ao limite da normalidade, aos sintomas possíveis e imagináveis (físicos, psíquicos e cognitivos) da patologia e acerca das formas mais frequentes dos transtornos ansiosos. Já deu para perceber que é um assunto complicado, abrangente e que impacta diretamente a vida de muitas pessoas. A imersão nos casos clínicos que fizemos no capítulo anterior serviu para ilustrar também a capilaridade da ansiedade no dia a dia – como ela assume o protagonismo das percepções e ações e como ela pode tingir a biografia de uma pessoa, causando distorções e incapacidades que, se não forem prontamente reconhecidas e abordadas, podem limitar nosso desempenho profissional e nossa evolução pessoal.

Neste ponto da leitura, você já sabe que a ansiedade pode ser heroína ou vilã, já sabe que o transtorno tem seus critérios, limites, nome e sobrenome e que não é apenas mais um capricho da mente humana. Daqui por diante, vamos discutir de forma mais abrangente as causas, os fatores de oscilação e os determinantes internos e externos que levam à expressão da doença. Com isso,

O cérebro ansioso

delinearemos um território de ações para buscar intervir nas variáveis modificáveis, em prol da prevenção, redução de danos e reversão dos transtornos de ansiedade.

Por que a ansiedade vira doença?

Responder a essa pergunta não é nada fácil. Primeiro, porque a ciência não tem uma resposta única e definitiva para isso. Segundo, porque muito provavelmente existem diversas causas atuando simultaneamente, sendo que elas variam de acordo com cada caso, tornando essa resposta muito individual. Mesmo assim, tentaremos abordar os conceitos mais importantes e as teorias mais sedimentadas nos estudos desses determinantes.

Doenças complexas têm causas complexas. Posto isso, podemos discutir dois tipos de fatores de risco para a ansiedade: o fator biológico (individual e com grande determinante genético) e o fator externo (de história de vida, de exposições, traumas, frustrações etc.)

Será que uma pessoa nasce predisposta à ansiedade? Será que carrega em seus genes uma tendência ao transtorno? Ou será que fica assim por exposições ao risco, pelo tipo de sociedade em que vive ou mesmo pelo jeito como foi criada?

O fator genético

Acredita-se atualmente na existência de diversos genes que causem predisposição aos transtornos ansiosos, cabendo ao ambiente determinar se essa genética irá ou não se expressar em sua plenitude. A genética traz uma carga de vulnerabilidade a ser suprimida ou expandida, dependendo do contexto e do histórico de vida.

O que causa um transtorno de ansiedade?

Quando pensamos em uma doença ou característica genética, por vezes imaginamos algo predeterminado, de que não se pode escapar, inexorável, mas a genética da ansiedade não é bem assim. A relação entre esses genes e a biografia do portador parece explicar melhor o transtorno apresentado do que qualquer um desses fatores isoladamente.

Esse conceito de doença multifatorial (genético e ambiental) é relativamente recente e pode ser demonstrado através de estudos específicos de recorrência familiar (herança), estudos de gêmeos e de adoção, além de estudos específicos de código genético (DNA). Vamos entender melhor essa história.

Recorrência familiar

Esta é observada com estudos de famílias e taxas de recorrência. Percebe-se claramente que famílias com mais casos de ansiedade geram familiares mais ansiosos. É como dizem: filho de peixe... E parece existir um gradiente nessa transmissão: quanto mais familiares acometidos, maior é o risco. Além disso, quanto mais próximo é o grau de parentesco com a pessoa ansiosa, maior parece a chance de herdar aquela tendência. É interessante notar que os familiares de alguém ansioso podem desenvolver formas diferentes do caso inicial, mostrando que a tendência é mais abrangente, menos específica.

Claro que os estudos precisam sempre avaliar a questão do contexto de vida e da criação, já que os pais não transmitem apenas genes, mas também exemplos, valores, modos de vida etc. Mesmo assim, parece haver um importante componente genético, transmitido diretamente pelos cromossomos. Isso é percebido com estudos em que há um contexto de adoção e migração, por exemplo, no qual a pessoa tem a herança genética de um indivíduo e a criação de outro. Nesses casos, apesar do impacto do

O cérebro ansioso

ambiente de criação, percebe-se que a genética é muito importante para determinar o grau de ansiedade. Por exemplo: uma criança filha biológica de pais ansiosos terá um risco de sofrer de ansiedade maior que a média, mesmo se for criada desde pequena por pais adotivos não ansiosos (o que mostra o impacto dos genes de predisposição).

Estudos de gêmeos

O fator genético também é estudado, de forma muito sábia e elegante, em gêmeos. Quero explicar direitinho essa história, pois ela é curiosa e muito importante na evolução da medicina.

Existem dois tipos de gêmeos, certo? Os ditos idênticos e os não idênticos. Os idênticos são geneticamente iguaizinhos em tudo, não só na aparência, mas também no DNA, no código genético. Eles são como clones naturais. Isso porque, nesse caso, uma mesma célula deu origem a dois indivíduos. É claro que olhando atentamente eles têm diferenças, até porque passam a vida recebendo influências ambientais diversas, mas geneticamente são iguais.

O outro tipo de gêmeos são os "não idênticos", também conhecidos como gêmeos fraternos, ou dizigóticos (pois vieram de células diferentes). Nesse caso, eles são como irmãos comuns, cada um com seu código genético, sua placenta e tal – o fato de que tiveram que dividir o útero na mesma gestação é quase uma casualidade. Inclusive podem ser de sexos diferentes, ao contrário dos gêmeos idênticos, que têm sempre o mesmo sexo.

Legal, mas o que isso importa para nós no papo da genética da ansiedade? Muito! Se estudarmos a taxa de recorrência da ansiedade em gêmeos idênticos e não idênticos, conseguimos uma boa estimativa do impacto da genética na manifestação

O que causa um transtorno de ansiedade?

do quadro. Pense comigo: se gêmeos idênticos tiverem uma similaridade no diagnóstico de ansiedade maior que gêmeos não idênticos, isso significa que o código genético é muito relevante, já que todos eles foram criados em ambientes parecidos (pois viveram em ambientes semelhantes na mesma época de desenvolvimento).

Vamos a um exemplo fictício, com números criados apenas para facilitar o raciocínio.

Suponha que um estudo avalie irmãos gêmeos dos dois tipos e encontre os seguintes dados:

- Em gêmeos idênticos, os dois irmãos apresentavam TAG (similaridade de diagnóstico) em 80 por cento dos casos.
- Em gêmeos não idênticos, os dois irmãos apresentavam TAG (similaridade de diagnóstico) em 40 por cento dos casos.

Veja que 80 por cento é um risco alto, mas só com esse dado não conseguimos saber se isso é devido à genética ou ao ambiente, já que tiveram a mesma criação e passaram por problemas parecidos. Mas olhando o segundo dado, opa! Agora dá para analisar melhor. A taxa de recorrência entre gêmeos idênticos foi muito maior que entre gêmeos não idênticos, logo estima-se que a genética seja muito relevante para esse transtorno, uma vez que, mesmo tendo sido criados juntos, na mesma época e pela mesma família, os gêmeos não idênticos apresentam uma taxa de similaridade de diagnóstico sensivelmente menor (metade, nesse exemplo didático).

Claro que realizar esse tipo de estudo não é fácil, pois é necessário reunir uma amostragem grande de gêmeos idênticos e não idênticos que apresentem determinada patologia.

O cérebro ansioso

Também é importante analisar se esses irmãos não foram criados separados e minimizar outras variáveis que possam contaminar a análise.

O estudo de gêmeos é a base para analisar a taxa de herdabilidade (risco de apresentar um componente genético herdado dos pais) em determinada doença. E é também importante para analisar o impacto do ambiente. Agora, vale a pena mais uma reflexão sobre esse exemplo. Nesse caso, 80 por cento de similaridade entre gêmeos idênticos significa também que o determinismo genético não é total (senão teríamos 100 por cento dos casos, já que os irmãos são geneticamente idênticos!). Logo, a genética é importante, mas não está sozinha – é preciso considerar que 20 por cento sofre impacto de outro componente ambiental, e não genético.

Esses números são apenas um exemplo da lógica do estudo de gêmeos na compreensão do aspecto genético envolvido em um transtorno. Os estudos desse tipo sobre ansiedade trazem resultados variados, dependendo do transtorno estudado. Na grande maioria, o impacto da genética é alto, mas não total. Isso sugere o envolvimento de vários genes na transmissão da tendência à ansiedade e também que a expressão deles depende, em algum grau, da interação com o meio ambiente.

Se olharmos para tipos específicos de ansiedade, veremos que alguns têm um determinante genético mais forte que outros. Por exemplo, no transtorno obsessivo-compulsivo estima-se que o componente genético seja mais forte do que na síndrome do estresse pós-traumático (SEPT), o que faz sentido, já que no SEPT o paciente necessita de uma evidente e traumática exposição ambiental para desencadear o transtorno. A genética participa de ambos, mas com um peso diferente na composição do mosaico.

O que causa um transtorno de ansiedade?

Estudos genéticos

Além da recorrência de diagnósticos em famílias e da elevada taxa de similaridade em gêmeos idênticos comparada à exibida em gêmeos fraternos, há, também, evidências levantadas por estudos genéticos, ainda incipientes, que revelam alguns candidatos a genes de ansiedade. Nos últimos anos, com o advento do sequenciamento genético (genoma humano), vários genes têm sido identificados como de expressão mais relevante em populações mais ansiosas. Acredita-se que eles possam estar relacionados ao TAG, ao pânico, ao TOC, entre outros.

A descoberta do aspecto genético no desenvolvimento dos transtornos ansiosos trouxe um novo horizonte na compreensão e mesmo no tratamento deles. O aspecto biológico do transtorno tem reduzido o preconceito e melhorado as ferramentas de prevenção e enfrentamento da doença, inclusive com o desenvolvimento de medicamentos e abordagens mais direcionados.

Gostaria de propor uma reflexão sobre a evolução. Sabemos que existe uma "pressão natural" para anular alguns genes menos interessantes para a espécie, genes de fraqueza e vulnerabilidade. A teoria da seleção natural, de Charles Darwin, versa sobre a tendência de transmitir e manter genes favoráveis à sobrevivência da espécie, uma vez que haja uma predisposição reprodutiva dos mais "fortes", segundo determinado contexto.

Hoje percebemos uma epidemia de transtornos de ansiedade pelo mundo, uma franca tendência ao pensamento mais acelerado, ao perfeccionismo, ao elevado grau de cobrança, à frustração

O cérebro ansioso

diante do erro, à dificuldade na quantificação do medo e do risco e uma tendência ao desarranjo da tensão antecipatória e da conexão com o futuro. Enfim, por que será que o ser humano não evoluiu mais tranquilo e calmo? Por que será que esses genes de predisposição à ansiedade estão aí, firmes e fortes nos nossos cromossomos, no nosso DNA?

Penso eu que estes são genes interessantes – se não para um indivíduo específico em um contexto específico, são interessantes para uma espécie. A evolução genética é um processo relativamente lento, o DNA muda em uma taxa mais vagarosa que o mundo, sendo que o mundo mudou muito e rapidamente. Hoje, vivemos em um território ambiental capaz de desarranjar esses genes que outrora foram importantes para a sobrevivência. O DNA está certo; nosso modo de vida talvez não. Isso gera essa discrepância entre o que se espera dos genes da ansiedade e o que se colhe nos dias atuais carregando-os.

Essa é uma reflexão complicada, mas não fazê-la não é uma opção. Os genes da ansiedade não são fatais, o que gera pouca pressão evolutiva sobre eles; também não impedem a reprodução (com exceções pontuais) e, além disso, trazem certa preservação. Pessoas ansiosas demais se esquivam do perigo, querem ter o controle de todas as variáveis, arriscam menos, seguem por caminhos mais tranquilos. Isso gera certo valor evolutivo aos genes. Sofrer antecipadamente, amplificar a percepção de risco e ter atividade excessiva do sistema autônomo (excesso de ação da adrenalina) pode até conferir algum sofrimento, mas não gera uma pressão negativa suficientemente intensa sobre esses genes.

As mudanças progressivas dos últimos séculos no nosso modo de vida podem justificar a enxurrada cada vez maior de casos de transtornos de humor vistos em nossa sociedade, tornando-os tema de saúde pública, seja pela frequência, seja pelo impacto na qualidade de vida das pessoas, ou ainda pelos gastos em saúde e complicações clínicas.

A questão da genética e da predisposição biológica à ansiedade patológica é muito importante, mas é uma variável pouco modificável. Não conseguimos mudar nosso DNA, pelo menos ainda não. Certa vez, um paciente me perguntou se sua síndrome do pânico era genética, já que tinha um irmão mais novo com o mesmo diagnóstico, e eu respondi que, em parte, *sim*. Aí ele olhou para mim e disse ironicamente: "Então está fácil eu me curar... é só nascer de novo!"

Não é bem assim, mas não deixa de ser um raciocínio pertinente. Somos o que somos, carregamos nossas tendências e predisposições. Mas devemos sempre direcionar o olhar para os fatores ambientais, estes, sim, dinâmicos e administráveis. Conhecer nossas fraquezas é o primeiro passo para reforçar nossas medidas preventivas. Se você nasceu com tendência à ansiedade, aposte suas fichas em toda e qualquer medida capaz de mantê-la dentro do polo saudável do espectro, minimizando e reconhecendo precocemente as formas patológicas que possam se manifestar em algum ponto da sua vida.

Lembre-se de que não existe um determinismo genético total. Você não é escravo dos seus genes, mas sim da integração deles com seu ambiente, pelo menos quando estamos falando de ansiedade. E são os fatores ambientais que vamos abordar a partir de agora.

Fatores ambientais

Os fatores ambientais participam ativamente do desencadeamento de processos ansiosos. Toda e qualquer predisposição se moldará aos estímulos do ambiente, tendo sua expressão minimizada ou amplificada por eventuais fatores de história ou estilo de vida. O cérebro recebe uma intensa e contínua influência do meio em que está inserido, podendo oscilar em termos de resposta emocional de acordo com o tipo de condicionamento a que é submetido.

A influência da infância

Muitas vezes, vemos na psicanálise uma busca incansável por determinantes biográficos vivenciados durante a infância. Isso faz todo o sentido, uma vez que é uma fase de franco desenvolvimento cerebral. A vulnerabilidade do indivíduo nessa fase poderia criar traumas e neuroses, que futuramente seriam expressos dentro de possíveis transtornos, como os de ansiedade. Um cérebro em desenvolvimento pode vir a apresentar distorção da quantificação de risco, cobrança ou medo, dependendo do tipo de criação ou de exposições pontuais na infância. Isso é percebido com clareza em alguns casos em que há histórico de violência doméstica, abuso moral, violência sexual, contextos de privação emocional, criação rigorosa e rude, entre outros, ocorrências que acabam sendo um marco no desenvolvimento de uma mente mais inquieta, exacerbando a tendência à ansiedade.

Realmente, pessoas com transtorno de pânico, fobias, TAG etc. tendem a apresentar antecedentes mais traumáticos que pessoas sem essas patologias. Portanto, não se pode negligenciar a influência de um contexto inóspito no desenvolvimento do cérebro ansioso. Agora, isso não é verdade em todos os casos. Muitas vezes, vemos o desenvolvimento de patologias em contextos inocentes, no coração de famílias bem estruturadas emocionalmente e de

O que causa um transtorno de ansiedade?

convivência harmônica. Também podemos ver descompensação emocional gerada por estressores apresentados fora da infância, como na adolescência, na vida adulta e mesmo na terceira idade. A vulnerabilidade mental pode até ser maior em fases de desenvolvimento, mas permanece, em algum grau, durante toda a existência. Afinal, o cérebro é moldado pelas vivências e aprende a reagir com elas. Frustrações mal gerenciadas, exposições a violência, sofrimentos demasiados podem levar ao desenvolvimento de transtornos ansiosos em diversas fases. Tomemos como exemplo a clássica história do estresse pós-traumático do combatente de guerra. Uma exposição ambiental traumática e intensa gera um forte e evidente desbalanço emocional, culminando nos sintomas de revivência, esquiva e ansiedade antecipatória. Nesse caso, o gatilho ambiental posterior à infância abre a caixa do transtorno.

O elevado grau de cobrança na infância, em um outro exemplo recorrente e mais suave, pode culminar no desenvolvimento de uma personalidade mais perfeccionista e intolerante ao erro, uma marca forte de alguns ansiosos. Perdas repetidas, com lutos e sofrimentos sequenciais, podem, em um contexto diferente, gerar a impressão de que algo sempre dará errado, evoluindo para a sensação constante de um futuro catastrófico, outra característica desses transtornos.

O cérebro responde segundo suas expectativas e lembranças, por isso não devemos negligenciar o patrimônio de vivências prévias de um ansioso. Ao mesmo tempo, não devemos estranhar ao nos depararmos com casos que se desenvolveram de repente, sem uma motivação clara. Também devemos ter cautela ao analisar os estressores da vida de uma pessoa, pois temos a tendência a supervalorizá-los se partirmos da hipótese de que existe um "culpado" por tanta ansiedade.

O cérebro ansioso

Todo mundo teve problemas eventuais na infância, com fases boas e ruins, com perdas e frustrações, sentiu insegurança e teve conflitos com os pais, irmãos e amigos. Todos tivemos nossos amores platônicos, fomos rejeitados, fizemos escolhas idiotas e nos amarguramos com nossas fraquezas e imperfeições. Mas nem todos adoecemos com ansiedade. Ouço muitos pacientes que têm plena convicção de que determinada ocorrência gerou a cadeia de eventos de sua doença, uma espécie de viés de recordação, algo muito comum em medicina. Buscamos culpados, situações gatilho, eventos a partir dos quais nos transformamos. Isso parece nos tornar menos fracos, vítimas de um processo, parece preencher a lacuna gerada pela dúvida do porquê de determinada patologia.

Esse tipo de viés de memória é encontrado também em outras doenças e situações médicas: mulheres que deram à luz crianças com algum problema físico, por exemplo, tendem a destacar mais ocorrências da gestação, como resfriados, uso de medicamentos, estresse eventual, traumatismos físicos etc. Nesses casos, o cuidado na interpretação de dados é fundamental para não fazer associações causais entre eventos independentes.

Na verdade, a tendência a hipervalorizar alguns estressores não é só do paciente, mas também do médico, dos familiares e do psicoterapeuta. Estamos focados e exigimos as biografias: Como foi sua infância? Como foi sua relação com seus pais? Você passou por situações ameaçadoras ou violentas? Buscamos ativamente indícios de processos ambientais, jogamos uma imensa rede no passado, sendo que, quase sempre, pegamos peixes, mas nem sempre os peixes corretos. Além disso, buscar esse tipo de informação de pessoas ansiosas, em um momento de amplificação e fragilidade, está sujeito ao risco de eventuais hipervalorizações de alguns eventos de questionável poder como desencadeantes de um processo.

O que causa um transtorno de ansiedade?

Por tudo isso, é fundamental o famoso bom senso. Precisamos investigar, sim, sempre, dar toda a atenção aos determinantes ambientais de exposições anteriores, mas também tomar cuidado com a valorização excessiva de eventos rotineiros, frustrações e ocorrências naturais da infância. Outra questão importante é sempre buscar abordar o sentimento da pessoa diante de determinada ocorrência, valorizando não apenas a vivência em si, mas sua expressão emocional. Com isso, teremos uma leitura mais precisa da interação pessoal daquele cérebro, com aquela maturidade e predisposição, naquela situação. Não é possível julgar segundo nossa impressão subjetiva e medir com a nossa régua uma vivência experimentada por um terceiro, com seus valores e sua dinâmica emocional própria e individualizada.

Algumas ocorrências traumáticas de vida são agudas e rápidas; outras são crônicas, arrastando-se por longos períodos. Ambas podem iniciar ou exacerbar transtornos ansiosos. Por exemplo, assistir a um acidente de carro com vítima, ser atacado por uma cobra, cair em um rio com correnteza forte e sobreviver a um tornado são exemplos evidentes de exposições agudas e traumáticas. Agora, ser criado por um pai alcoólatra, sofrer *bullying* durante grande parte da vida escolar e enfrentar uma doença oncológica quando criança são exemplos de estressores intensos e crônicos na infância.

É curioso notar que a própria expressão da doença pode ser um momento traumatizante agudo ou crônico, já que a ansiedade se alimenta de ciclos de amplificação. Por isso, o transtorno ansioso é tão traiçoeiro. Por exemplo, uma pessoa que desenvolve TAG passa a apresentar um estresse excessivo e contínuo, num processo que amplifica sua própria ansiedade. Da mesma forma, a crise de pânico pode ser tão traumática que gera um medo de passar mal (agorafobia), também evoluindo em um *looping* de

O cérebro ansioso

ansiedade. Tenho pacientes que desenvolveram fobia da própria casa após terem passado por uma crise de pânico dentro dela.

Neste ponto de nossa discussão, já temos claramente delineados dois grandes determinantes da ansiedade humana: a genética e as exposições traumáticas de vida. Cada qual participa com um peso variável. Neste momento, você pode se questionar: Então não tem solução, certo? Se a ansiedade patológica é, pelo menos em parte, fruto de genética (fator imutável) e de vivências anteriores (já ocorridas e também imutáveis), como nos livraremos dela? Que força teremos contra esses dois grandes fatores não modificáveis? Parece, até então, uma batalha fadada ao fracasso, não é? Nem tanto.

Considere esses dois motivos:

1. Não podemos mudar o que aconteceu no passado, mas podemos, sim, mudar nossa relação com as vivências do passado. O que aconteceu, aconteceu, ponto. Mas a ligação emocional com essa memória é dinâmica e pode ser transformada com o tempo, com a maturidade, com a intervenção de um psicoterapeuta etc. Um sofrimento pregresso que tenha deixado cicatrizes psíquicas pode ser superado, atenuado, transformado em outras formas de envolvimento que não o processo ansioso. Pessoas que trabalham a aceitação, a resignação, a resiliência e interpretações conscientes e pragmáticas acerca de eventos traumáticos podem aprender a controlá-los um pouco melhor. Essa dinâmica é possível porque o cérebro que sentiu o estresse pode ser diferente daquele que reexperimenta a vivência – afinal, ele é um órgão dinâmico, plástico, capaz de se transformar a cada pensamento e a cada revisita a determinada memória, criando, editando e reformulando

a rede entre os neurônios (as conhecidas sinapses). Ele pode ser mais resistente que a memória, pode desenvolver outras ferramentas de enfrentamento, lidando melhor com seu fardo (no caso, suas lembranças). Não é um processo fácil nem rápido, e não é sempre eficaz, mas é um caminho a ser pautado e trilhado ao lado de um bom terapeuta e com bastante engajamento e paciência.

2. O ambiente não traz apenas memórias traumáticas, mas atua de formas diversas em nossa *performance* cerebral. Isso constitui uma boa janela de intervenção. Se, por um lado, carregamos nosso código genético ansioso e somos fruto de nossa criação e vivências, por outro, temos, pelo menos em parte, as rédeas do nosso estilo de vida atual. E devemos desenvolver e enfatizar ações que priorizem nosso bem-estar psíquico, tanto de forma preventiva como terapêutica, pois nosso ritmo e contexto de vida alimentam nossa ansiedade, que um dia pode se voltar contra nós.

O impacto do ritmo de vida e dos estressores

Na busca de fatores ambientais que podem contribuir para o aumento da ansiedade, damos de cara com o estilo de vida. Nosso cérebro reage ao mundo que o cerca como um camaleão, ajustando-se ao cenário que lhe é apresentado. Se o clima é de guerra, ele pinta o rosto, fecha a cara e vai à luta! Muitas vezes, queremos ter uma mente serena, mas isso não é possível se fornecemos um ambiente caótico, com pouco controle de estressores e reduzidas válvulas de escape. Exigimos que nosso cérebro se tranquilize repentinamente, como se fosse possível desligar uma chavinha e entrar imediatamente em modo de relaxamento e paz. Infelizmente não funciona assim.

O cérebro ansioso

A mente humana é moldada pelo grau de exigência e pelo hábito. Aprendemos a viver no modo estressado, preocupado, valorizando a agitação e o excesso de adrenalina e cortisol. Buscamos o controle das variáveis, temos baixa tolerância ao erro, gostamos de previsões e de precauções. Somos ensinados assim, treinados assim, o mundo evoluiu dessa forma ao nosso redor e nos adaptamos a ele, como manda a mãe natureza. Cobram-nos sempre pelo nosso rendimento máximo, esquecendo que este deve ser ocasional, uma medida de exceção, por ser insustentável no longo prazo. Como um carro sempre acelerado, produzimos muito, nos desgastamos muito, mas duramos pouco, e o preço para a saúde raramente compensa.

Os altos índices de transtornos de ansiedade parecem relacionar-se, ao menos em parte, à quantidade e velocidade com que a informação trafega no mundo atual. Somos bombardeados por todo lado, muitas vezes com informações de relevância discutível. Estímulos passam cada vez mais rápido em frente aos nossos olhos, temos dificuldade em triar aquilo que realmente é importante em nossa vida. Fazemos muitas interações de baixa qualidade, não temos tempo para digerir as vivências, tudo parece rápido e superficial demais. Passamos o dia no modo multitarefa, fazendo ou refletindo sobre mais de uma coisa ao mesmo tempo. Isso leva à sobrecarga mental e ao desarranjo cognitivo e emocional.

Ao perceber um aumento da velocidade de exposições e uma avalanche no número de atividades, nosso cérebro faz o quê? Entra no modo ansioso, e dá-lhe adrenalina! Claro, esse é o gás adicional para estimular o desempenho, buscando soluções rápidas em um contexto de urgência. O problema é que esse modo eventual tem se tornado contínuo. Tudo nos chega com roupagem de urgência e de máxima importância. Estamos sempre tentando dar conta de tudo ao mesmo tempo, achamos que nada

O que causa um transtorno de ansiedade?

mais pode esperar. E, como se não nos bastasse o presente, os problemas reais, vigentes e atuais, também gerenciamos o futuro, os problemas possíveis, imaginados em contextos de necessidade de prevenção. Processamos muita informação o tempo todo.

Isso gera desgaste, desperdício excessivo de energia e uma linha de montagem inteira de frustrações. Esticamos o elástico no máximo, não há mais folga. Utilizamos nossa reserva funcional cognitiva e emocional para dar conta do dia a dia.

É como se estivéssemos já no cheque especial, utilizando uma reserva para imprevistos para quitar nossas contas básicas e cotidianas. Todo esse excesso de cortisol e adrenalina gera tensão e preocupação demasiadas, exacerbando nossas tendências genéticas latentes à ansiedade.

Adoecemos aos poucos e sem perceber. Anulamos progressivamente nossas válvulas de escape e somos tragados para um modo de vida alternativo e de sobrevivência. Migramos do interesse pessoal e da busca pela felicidade para um estado cíclico de problema-solução, um controle de danos sem folga e sem fim.

Nossa mente se acelera, processa pensamentos ruminados – frutos da baixa digestão cerebral –, rifa o presente sem dó – em prol da conexão com um dito futuro ainda inexistente –, gasta o orçamento precioso da criatividade e da busca da satisfação pessoal, e compromete os processos de multitarefa, controle da fadiga, resolução de conflitos e urgências. O sistema não é sustentável. Cortamos árvores sem reflorestar, depois reclamamos da falta de sombras.

O mundo atual se fantasiou de urgência. Estamos rodeados de prioridades, de coisas que precisamos resolver já, para ontem. O cérebro não consegue sair do modo alternativo de luta ou fuga, o plano B é o novo A. Como a mente é moldada pelo hábito, passamos a ter dificuldade de relaxar, de esvaziar a cabeça, de nos

O cérebro ansioso

conectar com o simples, de perceber a sutileza emocional, a felicidade e o bem-estar dos pequenos prazeres. Ficamos refratários à paz, pois somos cultivados na guerra.

Um exemplo bobo de como nosso cérebro aprende com o hábito é o nosso sono. Eu acordo todos os dias às seis e meia da manhã, me arrumo, tomo café correndo e levo minha filha para a escola. Entro no consultório às oito. Sempre desperto morrendo de sono e querendo ficar mais tempo na cama, levanto na marra e prometo um dia mudar de vida. Meu dia começa com café, cortisol e adrenalina. Arrasto-me durante a semana e visualizo uma ilha de tranquilidade e água fresca, o domingo! Meu Deus, vou acordar quando o meu corpo quiser, tirar o atraso da semana. No sábado, durmo tarde e desligo o despertador com gosto e alegria: é meu prêmio por ter sobrevivido à semana. Que nada! Desperto sozinho e sem sono precisamente às seis e meia. *Mas que cérebro burro esse meu*, penso. Mais uma vitória do hábito. Sinto-me um cachorro que corre atrás da roda de um carro e, quando o carro para, não sabe mais o que fazer. Sem o estresse habitual, perdemos o chão, vivenciamos a era do tédio, da culpa e do vazio interior.

Nosso cérebro se prepara para a guerra que lhe é apresentada. Se estou lutando de segunda a sexta, há guerra também no sábado e no domingo, assim ele pensa. A crônica recorrência faz com que nossa mente não consiga mais desligar em momentos de calmaria, e assim desperdiçamos noites tranquilas, fins de semana e feriados, às vezes até férias inteiras.

O mundo atual valoriza pessoas que lidam bem com crises, que navegam com competência em mares revoltos, que são capazes de administrar o caos e a sobrecarga física, cognitiva e emocional. Queremos super-homens e supermulheres, blindados emocionalmente, ansiosos do bem, entusiasmados, que fazem do limão a tal da limonada, que surfam nas urgências e mergulham na piscina de cortisol, saindo belos e ilesos. Isso só é possível nas redes sociais, não no mundo real.

O cérebro real tem limites. Se levado ao extremo, apresentará seus mecanismos de proteção. Evoluirá com irritabilidade, medo e disfunções do sistema autônomo. O coração vai palpitar, o ar vai penar para entrar, você vai transpirar. Dá para seguir em frente, mas o sono vai pipocar hora ou outra, as mãos vão tremer, hão um dia de formigar. O sensor de risco vai para o espaço, assim como o sensor de prazer. E então... bem-vinda, ansiedade! E se vier acompanhada da depressão não será nenhuma surpresa. Estávamos esperando a visita dela. Talvez venha vestida de TAG, de SEPT ou de pânico, talvez entre pela porta, pela janela ou pela chaminé, no Natal. Talvez toque a campainha ou meta o pé na porta da frente. Seja como for, ela virá cobrar sua dívida. De escolhas feitas ou não feitas. E do uso equivocado de um cérebro predisposto. Seja como for, ela virá sem jeito e desconfortável, sinalizando a necessidade de ajustes no ritmo, estilo e forma de viver. Virá cobrando rearranjo de prioridades, atenção psíquica consciente, equilíbrio bioquímico etc. O melhor a fazer é agradecer a visita, pagar a conta de uma vez e conduzi-la para a porta de saída quanto antes. Se for negligenciada, ela pode achar que é dona da casa, deitar no sofá e tomar seu controle remoto.

As válvulas de escape

Já ficou claro que nosso cérebro lê as linhas e as entrelinhas do ambiente. Se acreditar que está inserido no estresse crônico, ele irá responder em conformidade com isso. E não adianta dizer para ele que está tudo bem, ele precisa vivenciar a calmaria de forma clara e convincente.

O cérebro ansioso

Para tal, além do controle dos estressores e do estabelecimento de um ritmo aceitável de vida, é também fundamental investir em válvulas de escape saudáveis.

Pensando no conceito industrial, uma boa válvula é aquela que abre a partir de um determinado limiar para deixar escoar o excesso de algo antes do ponto crítico de transbordamento. Na vida, precisamos de válvulas preventivamente. Por vezes as utilizamos de forma equivocada, quando já estamos excessivamente tensos e estressados, no limite tardio do sofrimento. Deixamos para descansar quando já estamos demasiadamente cansados, por exemplo. Arrastamo-nos o ano todo com os nervos à flor da pele, contando com as férias lá pelas tantas. Vivemos com o leite já derramado.

As válvulas antiestresse deveriam ter mais prioridade, deveriam ser ensinadas na escola e ser cultivadas no jardim do cotidiano. Não precisamos estar totalmente estragados para ter direito à regeneração, não precisamos viajar apenas por merecimento depois de um ano difícil, não precisamos abdicar dos prazeres individuais para demonstrar que fazemos tudo que é possível pelos outros ou por projetos de terceiros. Somos nosso único projeto. Certa vez, li uma frase atribuída a Buda que dizia algo como: "Você não pode trilhar sua jornada até que você se torne a jornada". Não devemos apenas "trilhar", mas sim "ser" nossa própria jornada.

Manter hábitos de alívio é tão importante quanto respirar. Alimentar vivências dentro do seu espectro de interesses apenas para se divertir, realizar atividades físicas, entrar em contato com outros seres (inclusive humanos) funciona como nutrientes funcionais da alma.

Empenhamos nossas melhores horas do dia no trabalho, fazemos coisas repetitivas, entediantes, o tempo se arrasta... focamos as horas em que podemos nos libertar: o almoço, o fim do expediente.

O que causa um transtorno de ansiedade?

E, se o presente não tem mais a mesma graça, nos desconectamos dele. Aí somos ainda mais bombardeados (como não pensar que estamos em guerra?)! Boletos e mais boletos chegam como mísseis teleguiados, além de cobranças pessoais internas e externas, problemas familiares. O tempo rende mal, o dinheiro rende mal, as trocas afetivas não são como antes. O cortisol não abaixa mais. O descanso é contaminado pela expectativa do dia seguinte, e tem um gosto amargo de sofrimento. Deixamos o pior de nós para os momentos de prazer, e recebemos o pior dos outros. É uma rotina de guerra, uma matemática difícil de fechar. Quando decidimos nos premiar com prazer, com descanso, com uma válvula de escape, estamos cansados demais, irritados demais.

Com isso, escolhemos prêmios equivocados: comemos errado, fumamos ou bebemos, nos jogamos no sofá e nos entregamos à televisão ou ao computador. Buscamos atividades passivas e densas, com *feedback* rápido, ativação da recompensa, de baixíssimo esforço. São atividades de captação de prazer efêmero, frustrantes no longo prazo, pois engordamos, nos tornamos sedentários e sofremos pela baixa produção pessoal.

A ansiedade patológica se alimenta um pouco disso, desse ritmo de vida de resolução de problemas, desse grau de compromisso e responsabilidade que gera um grau de cobrança inalcançável. O cérebro precisa reencontrar sua paz de tempos em tempos. Precisa sentir-se seguro, tranquilo e feliz não só de forma aguda e intensa – pois isso eu consigo com uma barra de chocolate –, mas também de maneira suave, contínua e sustentável. Precisa de felicidade com raízes, capaz de contagiar os dias, de trazer relevância afetiva para todo o resto, fazendo da vida mais que um acumulado de batalhas a serem vencidas ou perdidas, mas um projeto que valha a pena.

O cérebro ansioso

Estabelecer válvulas de escape adequadas é parte desse planejamento de trazer mais vida aos nossos dias. A ideia é encontrar situações e atividades que você goste e que façam com que seu cérebro queira se reconectar com o presente. Encontrar um momento para ser feliz agora, não no futuro. Não precisa ser algo fantástico, caro e exótico: pode ser meditação, uns minutos para ouvir suas músicas preferidas, dança, conversas sobre o nada com alguém que você ama, uma taça de vinho fora de hora, um alongamento, a leitura de um livro (como você está fazendo agora). Mas seja justo e viva esse momento sem culpa, sem achar que está desperdiçando seu tempo e sem utilizar essas válvulas como prêmio por um dia produtivo ou como consolação por um dia lamentável. Eleja o seu prazer e o seu desenvolvimento como ser humano como sua maior prioridade, torne isso um hábito e entregue o melhor de você a si mesmo e aos seus pares. Dê seu jeito para isso. Avise seu cérebro que não estamos em guerra, combine um cessar-fogo. As coisas continuarão vindo com jeito de urgência, mas a urgência deve ser sentir-se bem, saudável e capaz de realizá-las, uma de cada vez, no seu tempo.

Assim como o dinheiro e o tempo, a ansiedade precisa ser administrada. Guarde sua adrenalina para os momentos certos, pois eles virão – teremos leões para enfrentar, pode esperar. Mas que sejam batalhas reais, eventuais, não apenas imaginadas ou impostas pela nossa sociedade bélica.

Como discutimos acima, boas válvulas precisam ser frequentes, ser prioridade, estar dentro do seu rol de interesses pessoais e ser realizadas com o que você tem de melhor. Desenvolva várias!

Exercite-se durante o dia, aprenda a respirar, a tolerar a taquicardia, a produzir endorfinas e sua própria dopamina. E lembre-se: a melhor atividade física que você pode escolher é aquela que

O que causa um transtorno de ansiedade?

você consegue manter, de preferência com enfoque aeróbico e que lhe dê alguma satisfação durante a realização.

Não abdique de seus prazeres pessoais, crie vínculos e mecanismos para se expor àquilo que o recompõe emocionalmente. Estabeleça uma boa rede de amizades e alimente-a com vivências coletivas, pois estas são as primeiras que morrem de fome no mundo moderno. Arrisque-se fora da inércia, pise fora do trilho de tempos em tempos; o que se colhe fora dele costuma ter serotonina de qualidade.

Como vimos, o cérebro precisa ser informado de que estamos bem. Reprograme-o cuidando de você sem culpa. Busque na sua história de vida as coisas que costumavam fazê-lo feliz, os momentos em que você desenvolveu ou abdicou de um hábito, as fases em que saiu do horizonte da sua própria prioridade, negligenciando seu engajamento na sua própria felicidade. O simples exercício de pensar e se voltar para si já trará um curioso alento, gerando um contexto emocional que lhe trará paz e bem-estar.

A importância do sono

Dormir é uma excelente válvula de escape. Mas não durma por aí, durante o dia e de forma picada. Invista na qualidade do sono de todas as noites. Passamos cerca de $1/3$ da vida dormindo, e cada um tem uma necessidade de sono, que, aliás, pode variar no decorrer da vida, dependendo de vários fatores. Durante o sono, nosso cérebro se mantém ativo e faz sua manutenção estrutural e emocional. Memórias são organizadas, pensamentos são produzidos, testes são feitos. Ao nos privarmos de sono, estamos boicotando nossa saúde mental. O sono precisa ser reparador, precisa cumprir sua missão de restauração para um dia seguinte produtivo e proveitoso. O cérebro cansado tende a estar mais tenso, irritado e sujeito ao erro. Baixamos rapidamente o rendimento

O cérebro ansioso

da criatividade e dos mecanismos de atenção e memorização. Despertamos com reflexos mais lentos, pior rendimento físico e um humor muito mais instável. Agora imagine um acúmulo de anos de sono de baixa qualidade. Cronicamente, noites desestruturadas exacerbam o risco de doenças como os transtornos ansiosos e depressivos, pois são típicas do desarranjo na capacidade cerebral de quantificar risco e extrair prazer.

É curioso notar que o sono é causa e efeito nos transtornos ansiosos, pois pessoas ansiosas dormem pior e com isso ficam ainda mais tensas e ansiosas. Muitas vezes, esse processo leva a um estado de preocupação excessiva e vigilância na hora de dormir, o que dificulta ainda mais o sono.

PODEMOS DIVIDIR, DE MODO GERAL, AS PESSOAS QUE DORMEM MAL EM DOIS TIPOS:

1. Aquelas que apresentam insônia ou sintomas médicos que dificultam o sono. Ou seja, que se disponibilizam e se esforçam para obter um sono de qualidade e por alguma razão médica não conseguem.
2. Aquelas que não se dedicam corretamente ao sono. Aqui temos uma grande multidão. Pessoas que deitam tarde e acordam cedo, que estão sempre com o sono atrasado e correndo atrás do prejuízo. Dormem cinco, seis horas por noite e despertam cansadas ou apresentam sonolência excessiva depois do almoço, com baixa produtividade.

O que causa um transtorno de ansiedade?

Cuidar do sono é mais do que dedicar horas a esse estado fundamental à saúde. É preciso cuidar do ambiente em si, do colchão, da iluminação, do silêncio, da temperatura e da roupa de cama. É preciso adequar o comportamento, com manutenção de rotina de horário, atividades mais passivas e relaxantes e boa alimentação próximo ao horário de deitar. Muitas vezes, o ajuste do sono traz uma melhora proeminente nos casos de ansiedade instalada, servindo também como prevenção de crises mais intensas. O cérebro lê a privação de sono como uma crise ambiental, e adivinha o que ele faz? Entra em seu estado alternativo de gerenciamento de crise, de hiperexcitação e hipervigilância, tentando se contrapor à sonolência diurna para levar a cabo suas atividades.

Claro que o descanso não se restringe ao sono. É muito importante saber descansar de outras formas, de tempos em tempos. Tirar férias com regularidade. E aqui nesse quesito considero uma vez ao ano uma frequência bastante baixa, sendo preferível, na medida do possível, buscar formas alternativas com saídas mais frequentes, mesmo que com duração menor. Hoje em dia, todo mundo pode ser incomodado a qualquer hora, via celular, mensagens, e-mail, redes sociais... Criar estratégias de desligamento faz parte dessa grande rede de válvulas de escape que abordamos nesse trecho do livro.

Gerenciamento dos recursos

Legal, parece tudo fácil de realizar. Que nada! Ah, se eu tivesse tempo e dinheiro para tudo isso. É isso que você deve estar pensando, e é isso que eu penso também, muitas vezes. Simplificamos nossa incapacidade de fazer mais por nós mesmos nas duas variáveis mais críticas dos dias atuais: tempo e dinheiro.

O cérebro ansioso

A falta de dinheiro é um estressor intenso a favor da ansiedade. Quando se está endividado, quando se tem contas a vencer e pessoas que dependem da sua produtividade, fica impossível não focar no futuro de forma tensa e preocupada. Vivemos em uma sociedade economicamente instável. Travamos batalhas mês a mês, somos rodeados por histórias trágicas e tememos, com razão, por nossa capacidade produtiva e pela segurança de nosso emprego.

É curioso notar que temos aqui outro ciclo patológico da ansiedade, tal qual o da comida e tantos outros que apresentamos nesta obra, pois quando estamos ansiosos tendemos a gastar mais com as coisas erradas, piorando nossa situação financeira. O transtorno de ansiedade pode levar alguns a decisões impulsivas, a gastos recorrentes de padrão compulsivo, sempre na busca de prazeres efêmeros e supérfluos, na tentativa de aliviar em parte a angústia. Transtornos de ansiedade custam caro, tanto na administração financeira pessoal como nos gastos diretos em saúde. Ansiosos fazem mais exames, compram medicamentos, pagam terapias por vezes prolongadas e, em casos mais graves, faltam ao trabalho ou até saem do mercado produtivo. Enfim, o gasto global com esses transtornos justifica, e muito, investimentos em prevenção.

A educação e a boa saúde financeira de alguém passam por diversos aspectos que fogem dos limites desta obra, mas envolvem, em parte, a compreensão de que a satisfação emocional está desvinculada do dinheiro, pelo menos na teoria. Aprendemos a comemorar gastando, a nos premiar gastando, atrelando felicidade a empenho financeiro. Essa visão é equivocada e insustentável, e só traz mais ansiedade e frustração. O dinheiro pode cooperar, claro, mas a felicidade não depende diretamente da sua riqueza. A felicidade não está à venda; dinheiro é, na melhor das hipóteses, uma das ferramentas possivelmente utilizadas na conquista

O que causa um transtorno de ansiedade?

de uma vivência melhor. Felicidade é um caminho, de escolhas compatíveis com seu eu interior. Não existe felicidade dentro de um vestido caro, pois a felicidade é uma expressão cerebral intransferível. Podemos ser muito felizes, por exemplo, nos conectando com uma comida afetiva e simples, reencontrando velhos amigos, pisando em terra molhada, sentindo cheiro de biscoito no forno, cantando uma música pegajosa no banho, poupando dinheiro no final do mês, viajando para a praia dividindo a gasolina. Descobrimos nossa paz quando nosso cérebro sedento de vivências emocionalmente pertinentes encontra o motivo de sua sede. Quando damos a ele a recompensa emocional correta, o bem-estar é saudável e sustentável.

Por esses fatores, a situação financeira pode não ser considerada a causa básica, mas entrará no grande rol de determinantes ambientais, um fator complicador que pode ser um dos gatilhos ambientais de insegurança, frustração, sensação de menos valia etc.

Atrelar sua saúde mental a gastos é perder duas vezes – talvez mais, pois você ancora uma variável infinita a uma variável finita, atrelando uma demanda vital (saúde mental) a uma demanda variável e opcional. A verdade é que quem não consegue extrair prazer com pouco não o faz com muito, pelo menos não por muito tempo. Quem espera o dinheiro para ser feliz apenas saltará de tempos em tempos os degraus para um limiar novo de satisfação, mas com um mesmo grau de frustração, talvez até maior. É como correr atrás do próprio rabo: o dinheiro chega e a felicidade escapa um tiquinho mais para a frente. Aprenda a se equilibrar financeiramente e não terceirize, na medida do possível, seu bem-estar ao empenho de mais ou menos dinheiro. Valorize as vivências como elas são e, nesse contexto, você se sentirá mais pleno de si e o dinheiro será tratado como a ferramenta que sempre foi.

O cérebro ansioso

E, antes que alguém pergunte "Será que dinheiro traz ou não felicidade?", já digo que acredito que só traz felicidade a quem não desaprendeu a ser feliz sem ele.

Lembrei-me até de uma frase popular que ouvi certa vez: "Algumas pessoas são tão pobres, mas tão pobres, que a única coisa que têm é dinheiro".

Antigamente, ouvia-se muito que a depressão e as crises de ansiedade eram coisa de rico, de pessoas desocupadas e sem problemas de verdade para enfrentar. Isso mesmo! Essa visão ajudou na disseminação do preconceito e da ignorância acerca das doenças mentais, expondo-as como um traço de fraqueza pessoal ou como uma necessidade de chamar a atenção em um contexto de falta de problemas reais.

Essa ideia caiu completamente por terra e mostrou-se absurda diante de inúmeros trabalhos epidemiológicos. Os transtornos de ansiedade são democráticos, podendo atingir a todos, a despeito da conta bancária. Na verdade, diversas pesquisas apontam que os transtornos de ansiedade atingem mais as pessoas de classes mais baixas, tanto em quantidade como em impacto. Isso decorre provavelmente dos estressores de vida, da ausência de válvulas de escape, aliados à dificuldade de diagnóstico e tratamento, uma vez que essas pessoas estão inseridas em contextos de baixa qualidade de assistência na rede de saúde. O diagnóstico demora mais, quando chega. O tratamento é por vezes feito de forma incompleta, parcial e por tempo insuficiente.

Mas vamos seguir em frente e abordar o tempo. Se dinheiro é complicado, tempo, então, é complicado ao quadrado. Trata-se do principal cobertor do ansioso, sendo também o mais curto. O tempo é uma variável estática e finita, sendo democraticamente distribuído entre as pessoas. Todos recebemos as mesmas 24 horas no dia. O ano do rico é do tamanho do ano do pobre. Tempo não se compra, não se aluga, não se empresta. O tempo só pode ser administrado e gerenciado, sendo o mais valioso de seus patrimônios.

Pessoas ansiosas têm um verdadeiro problema com o tempo. Ao se desconectarem do presente, sofrendo frequentemente por antecipação, entregam de mão beijada o único momento de intervenção e vivência real. Ao viver em um mundo de expectativas e alternativas, consomem energia demais em probabilidades. Com frequência, fazem diversas coisas simultaneamente, de forma tensa e apreensiva, com pressa de concluí-las quanto antes, e, ao fim, pulam para a atividade seguinte. Essa ânsia infinita torna a relação com o tempo complicada. Pessoas ansiosas acabam sofrendo para não fazer nada, passam a ter dificuldade em relaxar e esvaziar a mente. Buscam a adrenalina de forma compulsiva, pois não toleram mais a tranquilidade. A rotação mental dos ansiosos é peculiar. Mesmo quando o corpo para, a mente segue, na inércia de um objeto em constante movimento. Por vezes, uma perna entrega essa agitação, ou os dedos tamborilam sobre a mesa. As pálpebras, ao se fecharem, tremem como em um bater de asas. A relação do ansioso com o tempo é patológica. A rotação de um não combina mais com a do outro. A dificuldade de esperar e o fluxo aumentado de pensamento geram impulsividade, queima-se a largada. Ansiosos não conseguem lidar muito bem com pessoas não ansiosas, se irritam, se angustiam, perdem a capacidade de esperar, de deixar a

O cérebro ansioso

natureza seguir seu curso sem intervenção, de serem expectadores passivos e, por vezes, apenas sentir, seguindo a banda que passa, no seu tempo, no seu ritmo e sob as regras do mundo.

Sua ansiedade lhes cobrará pressa, os frustrará em atividades lentas e trará a impressão subjetiva de que seu tempo foi desperdiçado. Tudo mentira! O tempo aplicado a você é o mais precioso. A conexão com atividades mais tranquilas e serenas trará um novo equilíbrio mental. Aprender a respirar e esvaziar sua mente é o único caminho de volta possível.

Vivemos em uma sociedade que atrelou o tempo à produtividade. Se não estamos produzindo, estamos perdendo chances e gastando nossos minutos direta ou indiretamente. Isso traz uma constante culpa. Todo mundo tem projetos atrasados, coisas para fazer relacionadas ao trabalho e à resolução de tarefas. Represamos continuamente nossos problemas. Com isso, abdicamos da qualidade das nossas atividades pessoais, ou as realizamos com certo peso na consciência. Nosso cérebro escolhe a opção de se empenhar agora e ser feliz depois. Mas esse depois raramente chega, ou, quando chega, não há mais saúde para aproveitá-lo.

Já ouviu aquela historinha sobre os três fatores e os tempos de vida? Segundo ela, precisamos de três coisas para ser felizes: tempo, dinheiro e saúde. No entanto, temos sempre apenas duas.

Quando somos jovens, temos saúde e tempo, mas não temos dinheiro.

Adultos, temos dinheiro e saúde, mas não temos tempo.

O que causa um transtorno de ansiedade?

Então envelhecemos, e temos dinheiro e tempo, mas já não temos saúde.

Parece uma historinha boba e genérica, mas traz suas verdades. Fala sobre a busca e a expectativa de uma vida perfeita, em que teremos tudo para ser felizes. Essa é uma espécie de terceirização da responsabilidade para um futuro utópico. Isso tira a responsabilidade que é do presente. O tempo para ser feliz é agora. Ponto-final.

Hoje é o dia para dormir bem, para alimentar as amizades, para comemorar as pequenas conquistas da vida, para dizer a quem amamos quanto nos importamos. O futuro é uma possibilidade probabilística, é uma construção mental que nos escapa de forma recorrente. A projeção de um período de paz, amor, saúde e prosperidade só é benéfica se o investimento for começar no presente. Um cérebro que delega muito ao futuro não aprende a extrair o prazer do momento vigente. O problema é que o agora é o futuro dos tempos passados. Há cinco anos você planejou estar mais feliz e tranquilo agora, lembra? Esse tempo chegou, junto com novos problemas, e um novo ajuste no prazo da felicidade.

Na prevenção dos transtornos de ansiedade, a administração do tempo exige algumas condutas:

1. **Eleger prioridades.** Não dá para fazer tudo. Para ter tempo para algo mais importante, você precisa deixar de fazer algo menos importante. A eleição de prioridades é dinâmica, clara, e depende totalmente do seu contexto. Mas sugiro que

O cérebro ansioso

você se coloque como prioridade, sempre. Se você estiver bem, fará muito bem aos outros. Muitas vezes, colocamos o interesse dos outros diante dos nossos, e fazemos tudo pelos filhos, pela empresa, pelo amigo, pela esposa etc. Não que haja problemas nisso, mas se o cobertor é curto, você precisa sempre de um pedacinho dele! Sua saúde mental é a única ferramenta que você tem para ser um bom pai, um bom profissional, um bom amigo. Portanto, cuide-se, envolva-se em atividades que o mantenham bem e de forma sustentável, com empenho de tempo, energia e, se necessário, dinheiro. Sinta-se orgulhoso de cuidar de si.

2. **Saber dizer não.** Esse é um item precioso no gerenciamento do tempo. Muita gente tem dificuldade em dizer não. Recusar propostas, problemas e trabalhos é por vezes a única saída para abrir espaço para seus projetos pessoais. Saber dizer "não" é uma arte que valoriza o seu "sim". Dedique-se a poucos e bons projetos, não permita que o mundo o consuma e resigne-se a aceitar que você é limitado. Enfrentamos jornadas longas de trabalho, trânsito e distâncias e somos cobrados ao extremo – devemos ter ótimas *performances* acadêmicas, profissionais, sociais e familiares. De qualquer forma, se quisermos escapar das doenças modernas, precisamos buscar alternativas de modo de vida, recusando aquilo que parece dispensável e orientando nossos esforços para o essencial.

3. **Simplificar.** O tempo nasce com a simplificação. Por vezes, arborizamos demais, adicionando atividades sem resolver as anteriores, e com isso viramos malabaristas com cada vez mais bolas nas mãos. De tempos em tempos, é preciso simplificar. Olhar para a vida e fazer escolhas para encolher,

minimizar, tirar da frente. Aprender a delegar problemas para quem deve resolvê-los, sair de projetos irrelevantes, organizar as atividades de forma a não ter que resolver as coisas pessoalmente. É fundamental descentralizar; nem tudo precisa passar por você. Distribua tarefas, chame os outros para repartir as obrigações e responsabilidades. Outro ponto importante é viver com cada vez menos. Limpar a casa, as finanças, desapegar do que não é necessário. Em certa medida, quanto menos se tem, menos se sofre. Tenho muitos pacientes que reduziram absurdamente o estresse depois que venderam uma casa de campo, ou que mudaram para um apartamento pequeno e mais funcional, que passaram a ser mais felizes depois que negociaram ou encolheram a empresa, que aceitaram um emprego mais próximo de casa, mesmo ganhando um pouco menos, que mudaram o padrão de vida para algo mais realista, abdicando dos excessos. Reconhecer e tirar da frente aquilo que consome seu tempo e sua paz é uma lição de casa diária. Adequar seu nível de cobrança. Esse é o item mais complicado desta listinha. Nossa ansiedade é diretamente proporcional à nossa cobrança. Nossas expectativas irreais são fonte de boa parte da nossa frustração. Adequar a expectativa em si e nos outros é um exercício que reduz muito nossa tensão antecipatória. O mundo nos cobra perfeição, e parece que cobrará cada vez mais. Estamos cercados de juízes apontando nossos erros, falhas e exigindo um padrão de rendimento inalcançável. Aprender que somos falhos e incapazes de corresponder a essa expectativa em sua plenitude é parte de nossa sanidade emocional. Aprender a encarar as situações dentro da ótica do "fazer o melhor possível", aceitando os ruídos intrínsecos do processo, levando algumas imperfeições com bom humor e jogo de cintura, pode trazer alívio e tirar o peso de determinada missão. E é importante não apenas exercer a tolerância consigo mesmo, mas também com os outros. A sociedade merece olhares menos críticos, mais empatia e muito mais respeito e consideração às possíveis falhas de quem tenta realizar algo.

O processo de adoecimento na ansiedade

Adoecer de ansiedade é um processo com vários determinantes. Como vimos, de um lado temos o fator biológico, em grande parte fruto da genética, com a presença de vários genes de predisposição que podem influenciar o desenvolvimento de doenças, sendo esse fator mais forte ou mais fraco dependendo de cada caso. Por outro lado, temos os determinantes ambientais, que são inúmeros e bastante dinâmicos. São influenciadores:

- A história de vida, que pode ser marcada por perdas, frustrações, estressores crônicos e agudos, facilitando a progressão do processo.
- Um estilo de vida marcado por excesso de estressores, velocidade e quantidade intensas de informação, dificuldade de gerenciamento de tempo, poucas válvulas de escape, anulação de interesses e projetos pessoais, exagerado grau de cobrança, levando também a um desarranjo nas vias de percepção de risco, tensão e pressão antecipatória, culminando em desenvolvimento de transtornos.

Há casos em que a genética se mostra preponderante; outros, em que o fator de exposição ou de estilo de vida parecem ditar o tom da patologia. Mas, na grande maioria, temos um certo balanço entre eles. Esse mosaico deve ser encarado como alvo de intervenção. Conhecendo o caminho de ida, acertamos o de volta. Os fatores ambientais precisam ser abordados de forma incisiva, com mudança de paradigmas, hábitos, culminando em um jeito de lidar com a vida. O gerenciamento de memórias passadas (eventualmente estressantes e traumáticas) deverá ser trabalhado com ferramentas da psicoterapia, e há várias vertentes passíveis de adoção. Já o fator genético, evidentemente menos sensível à intervenção comportamental, poderá exigir medidas medicamentosas em alguns casos.

Determinantes da ansiedade patológica

O cérebro ansioso

Nosso próximo e derradeiro capítulo falará exatamente sobre isso: o tratamento. Como já deu para perceber, a abordagem deverá ser sempre individualizada e múltipla. Como em uma batalha, o inimigo virá repleto de estratégias e artimanhas, atacará de forma articulada, por vários flancos e de vários modos. Para enfrentá-lo, devemos primeiro reconhecê-lo e respeitá-lo, criando medidas de defesa e ataque também múltiplas e complexas, lutando com todas as armas que temos.

Mas claro que é sempre melhor evitar a batalha, conseguindo uma solução diplomática, sem derramamento de sangue. Em alguns casos, isso vem na forma de prevenção. Por isso, acredito que devemos instituir toda e qualquer mudança de estilo de vida capaz de atenuar nosso risco de adoecer.

A ansiedade (no seu formato normal, funcional) deve ser vista como uma aliada poderosa da cognição e da emoção humana. Deve ser benquista e cultivada como tal. No entanto, precisa de vigilância, pois frequentemente volta seu poder contra seu portador. O contexto e a intensidade com que ela se apresenta dirão de que lado estará em determinado momento.

Mas, antes de seguir para o tratamento, eu gostaria de discutir um modelinho simplificado de como os determinantes podem se articular no desenvolvimento de um transtorno crônico de ansiedade.

A teoria dos 3 Ps

Esse modelo comportamental simplificado foi desenvolvido inicialmente para o estudo comportamental da insônia feito por Arthur Spielman em 1996. Mas serve para compreendermos a integração dos fatores determinantes da ansiedade patológica. Aqui temos três grupos de fatores: predisponentes, precipitantes e perpetuantes (os 3 Ps).

O que causa um transtorno de ansiedade?

1. **Predisposição.** O primeiro P versa sobre nossa tendência à ansiedade, nossa genética e nosso contexto. Nesse grupo, ficam os fatores que nos tornam suscetíveis a um transtorno, mesmo que ele não tenha se manifestado. Todo mundo carrega certa tendência. Se você é do sexo feminino, por exemplo, sua predisposição é maior; se é jovem, também. Isso por questões epidemiológicas de incidência da ansiedade. Também influencia se você tem histórico familiar de ansiedade, se vive em contextos estressantes, se tem um trabalho desgastante, e assim por diante. Tudo aquilo que aumenta sua tendência a ter ansiedade pode ser definido como predisposição inicial.

2. **Precipitação.** O transtorno de ansiedade pode ser disparado por um gatilho, uma fase peculiar da vida que torna os sintomas aparentes. Os precipitantes configuram os fatores de descompensação. Eles são o empurrãozinho que a predisposição precisava para se manifestar. O fator precipitante pode ser uma perda, frustração excessiva, um evento traumático, um determinado contexto hormonal (como pós-parto ou menopausa, por exemplo), um período de sobrecarga cognitiva ou emocional, uma fase de transição de vida, entre outros. Por isso, alguns momentos são mais críticos que outros para o desenvolvimento de transtornos de ansiedade. Mas esses fatores de precipitação nem sempre são tão evidentes, principalmente em casos mais crônicos e arrastados. Em casos mais agudos e recentes, é bastante frequente que o paciente refira determinadas situações que deram origem aos sintomas. Em algumas formas, como no transtorno pós-traumático, a presença do fator precipitante é fundamental, dele depende o próprio diagnóstico. Em outras, a determinação

O cérebro ansioso

do precipitante é opcional, mas é bastante comum, como em fobias, no pânico e mesmo no TAG, como vimos em alguns casos clínicos do capítulo anterior. Isso é importante para a compreensão do porquê de o transtorno ocorrer naquele momento e não em outro, e também é fundamental para iniciar medidas de prevenção e diagnóstico precoce em pessoas expostas a um determinado precipitador comum. Nos casos em que nenhum desencadeante é encontrado, julgamos que o fator biológico tenha sido um grande determinante, sendo os desencadeantes corriqueiros ou de difícil identificação.

3. **Perpetuação.** O terceiro P aborda os fatores de manutenção do transtorno ansioso. Se temos uma predisposição e um precipitante, por que, muitas vezes, a ansiedade não se limita ao período posterior dessa ocorrência? Por que ela evolui para uma forma crônica, com duração de meses, anos ou até décadas? Esse tópico busca os fatores de cronificação. Aqui temos inúmeros mecanismos, como a insegurança gerada pelo próprio quadro de ansiedade inicial, por exemplo (como vemos no pânico, nas fobias e no estresse pós-traumático). As primeiras vivências criam um medo de passar mal novamente e uma falta de confiança no próprio organismo. Além disso, o processo ansioso gera maior vigilância em relação a sintomas, o paciente fica mais tenso e tende a valorizar cada vez mais pequenas variações do organismo, alimentando ainda mais o transtorno. O sono também pode ficar perturbado pela ansiedade e gerar piora progressiva da ansiedade no dia seguinte. Além desses fatores evidentes de amplificação, também temos o efeito protetor da esquiva progressiva de gatilhos. Pois, evitando algumas exposições, o paciente tem a impressão de estar

O que causa um transtorno de ansiedade?

mais protegido, o que gera perda crescente de confiança e de rendimento e cada vez mais ansiedade antecipatória em situações cotidianas. O desenvolvimento de comportamentos compulsivos, a fim de aliviar transitoriamente a angústia ansiosa, também acaba por levar a mais ansiedade e frustração, fechando outro círculo vicioso. Como podemos ver, a ansiedade tem seus ciclos de amplificação e sua cadeia de cronificação. Por isso, esperar passar nem sempre é uma saída aceitável. Ansiedade gera mais ansiedade, e, uma vez desencadeado, o processo pode seguir como fogo na palha, espraiando-se de forma automática.

Perceba que a teoria dos 3 Ps é complementar aos dados que abordamos antes sobre a importância dos fatores genéticos e ambientais. Aqui temos uma noção mais dinâmica de como a patologia se desenvolve no tempo. O pano de fundo é uma predisposição individual e contextual. Em cima disso, surge uma situação de estresse ou uma vulnerabilidade pontual. Isso é suficiente para a manifestação de um transtorno de ansiedade, em algumas das formas descritas no capítulo anterior. Após a manifestação, o cérebro adoece e passa a reverberar pensamentos ansiosos, que se alimentam do próprio estresse amplificado, que se amedrontam com o próprio medo, que sofrem pela antecipação das vivências da sua própria imaginação, catastrófica e enviesada, levando o paciente à perda progressiva de autonomia e culminando na manifestação clássica dos transtornos.

O esquema a seguir mostra a evolução de um transtorno de ansiedade segundo esse modelo dos 3 Ps, enumerando alguns fatores frequentes que podem ser considerados predisponentes, precipitantes e perpetuantes.

O cérebro ansioso

Predisposição	Precipitação	Perpetuação

Alguns itens de predisposição à ansiedade	Alguns itens de precipitação do transtorno ansioso	Alguns itens de perpetuação do transtorno ansioso
Histórico familiar	Estresse agudo ou crônico excessivo	Ansiedade antecipatória
Tendência genética (mesmo sem histórico)	Perdas (lutos, separações, perdas afetivas)	Evitação
Ambiente favorável à ansiedade	Mudanças de vida (mudanças de casa, perda de emprego, adaptações)	Insegurança
Sexo feminino (exceto TOC)	Frustrações intensas	Distúrbio de sono
Faixa etária jovem	Doenças físicas ou contato com doenças na família	Sintomas físicos e medo de doença
	Períodos de elevada cobrança pessoal (vestibular, apresentações, trabalhos)	Hipervigilância de sintomas
	Oscilações hormonais (TPM, gravidez/pós-parto, menopausa)	Comportamentos compulsivos

Evolução do transtorno na teoria
dos 3 Ps com fatores de contribuição

Agora, vamos discutir alguns exemplos práticos na aplicação desse modelo.

Caso 1: Uma jovem de 18 anos apresenta um quadro de TAG há oito meses. Demonstra franca tensão psíquica, irritabilidade, distúrbio de sono e problemas intestinais. Tem uma tia com diagnóstico de síndrome do pânico. Está se preparando para o vestibular de Direito.

Discussão: Nessa descrição-relâmpago, percebemos um contexto de vulnerabilidade. Trata-se de uma jovem do sexo feminino, com histórico familiar de ansiedade. Essas são variáveis do primeiro P: predisposição. Eis que, com 18 anos, ela passa por um período de grande estresse, a preparação para o vestibular, com elevação do ciclo de estudo, cobrança externa e interna, medos e expectativas próprias dessa fase da vida, redução na atividade física, desgaste em alguns relacionamentos pessoais etc. São gatilhos precipitantes, o segundo P. Mas eles só desencadearam o TAG pela predisposição inicial. Então, o início dos sintomas gera mais e mais preocupação. Os problemas intestinais levam à investigação de uma patologia clínica. O sono alterado leva à piora da irritabilidade e da intolerância. O clima em casa fica desfavorável. Ela passa a sentir insegurança com relação à própria tranquilidade em realizar as provas no dia do vestibular. Pronto! O novelo está completo e confuso. Não se sabe mais o que é causa e o que é efeito da ansiedade.

Caso 2: Um menino de 10 anos com diagnóstico de transtorno de déficit de atenção e hiperatividade (TDAH). Está em tratamento desde os 6 anos, mas no momento só toma a medicação, sem fazer acompanhamento médico. A família está enfrentando problemas financeiros e os pais estão em processo de separação. Ele passa a

O cérebro ansioso

desenvolver tiques motores recorrentes e comportamentos repetitivos. Apresenta pensamentos e angústias intrusivas e começa a realizar rituais, como estralar três vezes o dedo antes de iniciar uma frase, rodar três vezes no sentido horário e três no anti-horário ao ser contrariado. Decide não usar mais camisetas de manga curta, por ter a impressão de que um de seus pais pode adoecer se fizer isso. Dorme sempre em posição invertida na cama e come de uma forma padronizada, sempre do alimento maior para o menor. Com a evolução dos sintomas, passa a receber mais atenção dos pais, pois recebe broncas toda vez que apresenta esses comportamentos estranhos e percebe que as discussões entre os dois diminuíram um pouco. O quadro perdura por dois anos, até que é levado a um psiquiatra infantil, recebendo diagnóstico de TOC.

Discussão: Nesse caso também podemos refletir sobre o mosaico de determinantes. Temos um jovem do sexo masculino no fim da infância. Ele traz o diagnóstico prévio de TDAH. Podemos considerar esse contexto como sua predisposição ao TOC, que incide de forma mais frequente justamente nesse contexto. A patologia se expressa em uma situação peculiar de tensão ambiental, com estresse do momento financeiro associado à crise no relacionamento dos pais. Podemos considerar esses como fatores desencadeantes. Os sintomas ansiosos se expressam na forma de tiques e TOC, com intrusão ansiosa e comportamento compulsivo variado, como rituais estereotipados e repetitivos, além de comportamentos negativos, de evitação. O quadro é perpetuado por duas questões principais: o alívio da angústia e da ansiedade através do comportamento, base fisiológica da cronificação do TOC, aliado ao ganho ambiental, já que o menino ganha mais atenção por conta de sua patologia, minimizando os conflitos interpessoais dentro de casa. A expressão da

O que causa um transtorno de ansiedade?

patologia traz desconforto, mas esse desconforto é, em parte, compensado pelos ganhos emocionais e pela mudança de foco da situação anterior a ele. O processo tende a cronificar, por uma sequência evidente de predisposição, precipitação e perpetuação. O diagnóstico é, nesse caso, tardio, como geralmente ocorre com o TOC.

Caso 3: Uma mulher de 35 anos apresenta quadro de ansiedade leve, contínua, de intensidade oscilante há cinco anos, desde que se mudou de Santos para São Paulo e assumiu a coordenação de uma equipe de vendas. Não chegou a fazer tratamento, mas sente sintomas sugestivos de TAG nesse período. Há cerca de uma semana apresentou uma crise aguda de ansiedade com sintomas físicos intensos e necessidade de deixar uma reunião (crise de pânico). Refere apenas o uso de substância pré-treino de academia, na última quinzena. Apresentou alguma sudorese (transpiração) e dificuldade de pegar no sono nos últimos dez dias.

Discussão: Temos uma mulher jovem e com um cargo de chefia e liderança. A tendência à ansiedade já havia se manifestado nos últimos cinco anos, diante de um gatilho de alteração da rotina de vida, com mudança de cidade e novos desafios profissionais. A negligência em relação ao TAG pode ser compreendida como predisposição a outro transtorno (no caso, a crise de pânico). O transtorno mais recente, aliás, pode ter tido um gatilho químico com a substância pré-treino, nesse caso, um composto com 200 mg de cafeína. Felizmente, ela buscou um médico uma semana depois da crise de pânico, mas vamos imaginar o que poderia ter ocorrido no caso de não ter procurado ajuda. Nossa paciente provavelmente evoluiria para o medo de ter uma nova crise ou temor de uma doença clínica, e passaria a apresentar hipervigilância e ansiedade antecipatória,

O cérebro ansioso

podendo desenvolver fobias a ambientes de reuniões, o que geraria uma bola de neve apresentada inúmeras vezes durante este livro. Trata-se de um caso um pouco mais complexo, com TAG e uma primeira crise de pânico, demonstrando também o impacto de uma substância externa como determinante de uma descompensação.

Como dito anteriormente, nem todos os casos mostram fatores claros de predisposição genética, assim como nem todos têm um claro evento determinante – isso irá variar de contexto a contexto. De qualquer forma, o raciocínio global na busca dos determinantes e nos eventos mantenedores (cronificadores) dos sintomas é sempre válido e funciona como fio condutor na elaboração dos planos terapêuticos, cada vez mais personalizados e multidisciplinares.

PONTOS IMPORTANTES DESTE CAPÍTULO

- A ansiedade é fruto final de uma série de fatores, sendo que cada caso terá seu grupo específico de determinantes.
- O transtorno é fruto de predisposição genética aliada a fatores ambientais, como história e estilo de vida.
- O impacto dos genes é visualizado em estudos de recorrência, adoção, migração, estudos de gêmeos e pesquisas genéticas.
- Conhecer os determinantes e reverter as variáveis modificáveis faz parte da prevenção e tratamento dos transtornos ansiosos.
- O processo de adoecimento é marcado por fatores de predisposição, precipitação e perpetuação (3 Ps).

TRATAMENTO E PREVENÇÃO DOS TRANSTORNOS ANSIOSOS

> "Contos de fadas são mais que verdade. Não porque nos dizem que dragões existem. Mas porque nos dizem que eles podem ser derrotados."
>
> *Neil Gaiman*

Entraremos agora na parte final do livro, na qual abordaremos as opções de tratamento para os transtornos da ansiedade. O intuito de nossa conversa será apresentar possibilidades e conceitos gerais, já que, como os casos são muito diferentes entre si, o tratamento deve ser personalizado e necessita de acompanhamento presencial de profissionais habilitados.

A abordagem terapêutica deve ser o fruto final de uma avaliação que busque o diagnóstico adequado, a interpretação da intensidade da doença e o reconhecimento de pontos de intervenção. De modo geral, recomenda-se sempre uma conduta combinada e abrangente, com reconhecimento de gatilhos, aplicação de técnicas de enfrentamento, gerenciamento de vivências (psicoterapia), mudança de estilo de vida e, em casos selecionados, medicamentos. Por isso, a estratégia deve ser elaborada com engajamento coletivo e multidisciplinar, com abordagens complementares e busca de resultados expressos em curto, médio e longo prazos. A participação de familiares, amigos, psicólogos, médicos, educadores físicos,

O cérebro ansioso

nutricionistas, entre outros, compõe um time (para não dizer um exército) em prol do melhor resultado final. O objetivo não é anular a expressão ansiosa nem transformar o paciente em alguém que não é ele e nunca foi. O intuito é apenas restaurar a dita normalidade, devolver a qualidade de vida e deixá-lo em condições de seguir seu caminho, fazer suas escolhas e recuperar sua autonomia.

Os seis passos do tratamento dos transtornos ansiosos

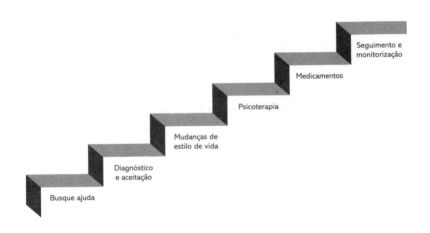

Passo número 1: Busque ajuda

O primeiro passo de um bom tratamento é o encontro do paciente com um profissional disposto e preparado para ajudá-lo. Isso só é possível com o reconhecimento da disfunção. Se você sente sintomas ansiosos intensos ou convive com pessoas que os sentem, busque ajuda. A pior das opções é se adaptar, tocar aos trancos e barrancos, esperar o problema passar. Geralmente a vida passa e o transtorno fica, ora como um estático freio de mão puxado, ora como uma evolução progressiva, como em um efeito dominó. A ansiedade pode consumir boa parte do rendimento cognitivo e emocional de alguém, abrindo portas para fenômenos de amplificação, esquivas e isolamento, podendo evoluir até para quadros depressivos.

Podem ocorrer perdas de difícil reparação, limitações sociais, problemas familiares e mesmo profissionais. A tensão constante, a busca por um ideal inalcançável de controle de variáveis e a dificuldade de relaxar podem contaminar o ambiente, levando os relacionamentos a níveis insustentáveis. Pessoas ansiosas com frequência se tornam irritadas, agressivas, excessivamente inseguras, são tomadas por medos e mecanismos patológicos de proteção. A ajuda precoce é bem-vinda.

Além da perda do equilíbrio emocional, o ansioso pode adoecer mais rapidamente por conta de transtornos físicos. A ansiedade desmedida desregula o eixo hormonal, que por sua vez regula a imunidade e o perfil cardiovascular. Com isso, o paciente pode sofrer com transtornos relacionados ao estresse contínuo, como piora da pressão arterial, dos níveis de glicemia, dos níveis de triglicérides e colesterol etc. A saúde é comprometida de forma difusa e sequencial. Os problemas de imunidade que o excesso de cortisol circulante pode causar favorecem infecções virais, como resfriados e distúrbios intestinais, ou mesmo reativações de vírus como herpes tipo 1 e 2 ou herpes zoster (o vírus da catapora). Se o paciente apresentar distúrbios de sono, a perda do efeito reparador dessa importante fase amplifica ainda mais o impacto negativo do transtorno sobre a saúde geral.

O cérebro ansioso

Mas o efeito da ansiedade não para por aí. Além do baixo rendimento cognitivo e comportamental, do risco de amplificação progressiva dos sintomas e do desbalanço dos indicadores metabólicos e cardiovasculares, a ansiedade patológica ainda eleva o risco de obesidade, depressão e abuso de substâncias. Não raro, pessoas ansiosas buscam alento de seus sintomas em comportamentos compulsivos prejudiciais à saúde, como tabagismo, consumo de bebidas alcoólicas ou excessos alimentares. Também é frequente a automedicação ou o uso excessivo de calmantes e tranquilizantes, o que traz um alívio transitório e não sustentável dos sintomas, com potenciais efeitos colaterais.

Por se tratar de transtornos muito frequentes e de expressão variada, os profissionais da área da saúde necessitam de treinamento para identificar sua manifestação. O paciente, não raro, busca ajuda de profissionais especialistas em outras áreas, visto que seu sintoma pode predominar em outros órgãos, tais como intestino, estômago, coração, pulmão, labirinto, pele, sono, aparelho sexual etc.

A condução do caso pode ser feita por especialistas, como psiquiatras ou eventualmente neurologistas, ou mesmo por profissionais de atuação mais abrangente, como clínicos gerais, ginecologistas, geriatras, cardiologistas, em casos de menos complexidade. Até porque não haveria no mundo a quantidade de especialistas necessária para atender a quantidade de pessoas que padecem de transtornos de ansiedade. O mais importante é que haja assistência médica qualificada e experiente na condução dos casos. A maioria dos transtornos não complicados pode ser conduzida no nível de atenção primária à saúde, como o oferecido nas próprias Unidades Básicas de Saúde (UBS), no serviço oferecido pelo Sistema Único de Saúde (SUS).

Tratamento e prevenção dos transtornos ansiosos

Além da opção médica, outra possibilidade é buscar a ajuda de um psicólogo de confiança. Esse profissional tem treinamento para a abordagem inicial e sabe elaborar e orientar com relação à proposta terapêutica introdutória, indicando, eventualmente, a participação concomitante de um profissional da área médica, se julgar necessárias investigações adicionais ou terapia medicamentosa associada.

Não tenha vergonha ou medo de buscar ajuda. Transtornos de ansiedade são patologias como quaisquer outras, que exigem uma abordagem profissional. Atente para seus sintomas e leve na consulta anotações com relação às alterações físicas, intelectuais e emocionais que você está sentindo. Anote também as situações de piora e melhora, e a lista de quaisquer medicamentos e suplementos de que esteja fazendo uso recentemente. Pergunte a familiares sobre diagnósticos conhecidos em sua família, pois isso pode definir um perfil de vulnerabilidade geneticamente determinada. No dia da consulta, caso se sinta confortável, leve alguém com quem conviva, para oferecer uma opinião adicional acerca de sua personalidade e de seu comportamento recente.

A relação médico/paciente exige um elo subjetivo de confiança e empatia. Transtornos de ansiedade demandam um tratamento longo, sendo frequentes fases de oscilação, recaídas eventuais e necessidade de ajustes no tratamento. Por isso, na medida do possível, procure profissionais que atrelem o aspecto técnico ao humano, que sejam capazes de ajudá-lo e acolhê-lo, esclarecendo suas dúvidas e atenuando sua angústia. No caso de insegurança com relação ao diagnóstico e à conduta, converse de forma franca com seu médico. Em casos peculiares, uma segunda opinião pode ser útil. O mesmo vale para psicólogos e outros profissionais.

O cérebro ansioso

A caminhada do tratamento começa nesse decisivo primeiro passo. Quando adoecemos, o processo é meio automático e as coisas pioram de forma involuntária e sequencial. Eu imagino mais ou menos que seja como tropeçar e descer rolando uma montanha. Quanto mais você demora para interromper a descida, mais para baixo você vai. Reconhecer o transtorno e buscar ajuda seria como se agarrar em um galho, mudando o foco do movimento e se permitindo olhar para cima, elaborando estratégias para voltar ao ponto de partida. Subir é mais difícil e complicado, rolar a favor da gravidade (ou da tendência biológica e contextual) é mais fácil. Subir na via contrária exige força, paciência, empenho e ferramentas. Aí entra o papel do médico e do psicólogo: apresentar ferramentas para facilitar essa subida. Uma corda, um capacete, uma machadinha, qualquer coisa é melhor que subir na raça, sozinho, correndo o risco de despencar novamente. Agora, ninguém sobe se realmente não quiser, se não enxergar o objetivo claro de estar lá em cima, se não estiver focado e engajado em fazer força, em resistir à força gravitacional gerada pelo transtorno.

Por isso, não dá para delegar o tratamento e a cura ao médico ou ao psicólogo – isso é mérito e realização pessoal do próprio paciente. E existe todo tipo de montanha e de dificuldades nessa subida. Alguns subirão assoviando durante os cinco ou seis metros em angulação favorável, até curtirão a vista ensolarada. Outros subirão um Everest, com vento e chuva torrencial, sem muitos pontos de apoio. Cada caso é um caso, mas todos terão que fazer seu caminho de volta, sendo esse caminho menos árduo quanto mais bem acompanhado você estiver.

Passo número 2: Diagnóstico, aceitação e estratégia

O diagnóstico de um transtorno de ansiedade nasce da reflexão de um médico ou de um psicólogo habituado com esse tipo de manifestação. Não se trata de um diagnóstico fácil, uma vez que não se baseia em uma alteração laboratorial nem em um sintoma específico. Para fazê-lo é preciso considerar com atenção o conjunto de sintomas, o tempo da manifestação, o contexto de piora e melhora, a intensidade e principalmente a repercussão dos sintomas na vida do paciente em questão. Nenhum sintoma isoladamente configura um diagnóstico. Também é preciso pensar no tipo específico de ansiedade que o paciente apresenta, assim como os possíveis diagnósticos diferenciais. O profissional deverá atentar para a possibilidade de determinada manifestação ser causada por um transtorno clínico ou mesmo outro transtorno psiquiátrico subjacente. Dependendo do quadro apresentado, principalmente os sintomas físicos, o médico poderá investigar outras doenças, como asma, doenças cardíacas, problemas intestinais etc. O diagnóstico de transtorno de ansiedade será feito baseado na apresentação clínica e na ausência de outros transtornos que expliquem melhor o processo.

A grande dificuldade na definição de um transtorno é a natureza espectral dos sintomas. Todo mundo sente ansiedade vez ou outra, também é absolutamente normal que em algumas fases da vida estejamos mais tensos e preocupados, sendo essa uma resposta ainda natural e saudável. Mas, como falamos antes, dentro desse espectro existe um ponto, relativamente subjetivo, no qual a ansiedade deixa de ser adaptativa e passa a ser patológica, passa a jogar contra, perdendo-se em intensidade, direcionamento, duração e trazendo mais sofrimento que benefício. Esse ponto entre a saúde e a doença passará pela impressão do médico e

O cérebro ansioso

sua habilidade em discernir o limite da normalidade. Na grande maioria das vezes, existe uma boa consistência nesse diagnóstico clínico. Respeitando alguns critérios, o profissional consegue diagnosticar com uma boa margem de acerto. Transcorrida a fase de diagnóstico, o paciente passa por um processo de aceitação. Essa etapa é bastante variável, dependendo de questões relacionadas à bagagem cultural e à vivência médica prévias do paciente. Alguns lidam muito bem com a ideia de finalmente terem recebido um diagnóstico que englobe todas as suas manifestações físicas e emocionais, mas outros ainda têm uma visão preconceituosa dos chamados "transtornos mentais" e se sentem incomodados com esse tipo de diagnóstico. Hoje em dia, com a disseminação do conhecimento, muitos pacientes já chegam com uma noção do poder que o cérebro tem no gerenciamento do corpo. Também muitos já conhecem as diversas formas de ansiedade e já vêm preparados e direcionados para a aceitação.

A educação médica é parte fundamental para a redução progressiva do preconceito diante dos transtornos da ansiedade. Quando abordamos a base biológica das disfunções psiquiátricas, buscamos, entre outras coisas, apontar para vertentes que comparem os transtornos de ansiedade a outros transtornos crônicos em saúde, como o diabetes e a hipertensão, por exemplo. O fato de a doença não aparecer em exames e ocorrer em pessoas anteriormente saudáveis não justifica a crença de que esse tipo de patologia é fruto de fraqueza psíquica ou interesses voluntários. Muitas vezes, precisamos discutir essas questões preconceituosas com familiares, amigos, colegas de trabalho e mesmo com o próprio paciente, que trazem consigo uma bagagem que não ajuda em nada o acolhimento e as condutas terapêuticas. Várias doenças físicas e neurológicas apresentam-se

Tratamento e prevenção dos transtornos ansiosos

como disfunções que não aparecem em exames e que não alteram a anatomia dos órgãos. São exemplos claros a enxaqueca, a fibromialgia, o autismo infantil, entre muitos outros. Doenças são definidas a partir do seu impacto na vida do paciente, não a partir de sua personificação em determinado exame.

Os transtornos ansiosos são descritos há centenas de anos, assolando a humanidade por todo o globo, em diversas culturas e contextos. Trazem sofrimento real, incapacidades concretas e riscos mensuráveis, de agravo à saúde emocional e física e aumento do risco de morte. Olhar para eles sob o prisma preconceituoso alicerçado em conceitos antiquados e superados é perder a oportunidade de tornar nossa sociedade mais saudável. Já cansei de atender pessoas que dizem: "Doutor, estou exatamente com aquilo que sempre achei que fosse frescura... não é frescura, não". A mudança de pensamento ocorre ao sentirmos o processo na própria pele. Muita gente confunde ansiedade patológica com medo normal. Como todo mundo já sentiu um friozinho na barriga diante de uma montanha-russa, acha que tem condições de julgar e analisar o sofrimento alheio. Cabe ao médico, ao psicólogo, ao paciente e a todos os que o cercam disseminar conceitos científicos mais modernos e abrangentes e refletir sobre a vulnerabilidade humana e sobre a sobreposição de um transtorno absolutamente involuntário. Com franca supremacia do sistema primitivo e emocional de controle do medo sobre o sistema mais moderno e racional de controle consciente do comportamento. Culpar a vítima é um procedimento cruel, desumano e contraproducente.

Encare o diagnóstico como uma oportunidade! Não como um rótulo artificial, mas como a chance de buscar informações direcionadas, de conhecer casos parecidos, de entender sobre as ferramentas de enfrentamento estudadas anteriormente, de saber o que

O cérebro ansioso

funcionou bem e o que nem tanto. Aproveite o diagnóstico para identificar seu transtorno como algo deste mundo, desta espécie e destes tempos, como um evento clínico conhecido e discutido em ambientes acadêmicos, com determinantes, prognóstico e tratamento que podem se encaixar, pelo menos um pouco, na sua situação. Receba o nome do seu transtorno como quem recebe a identidade e a localização de seu inimigo, o que vai possibilitar usar melhor as ferramentas no confronto de uma batalha que antes seguia sem rumo. É evidente que diagnósticos são reducionistas, e nunca irão exprimir a complexidade da mente humana. Não tenha dúvida de que o terreno de conhecimento sobre esse tipo de transtorno apresenta mais questões ainda não decifradas que decifradas. Mesmo assim, diante de todas essas ressalvas, ter um diagnóstico e conhecer a natureza de um transtorno ainda é um porto mais seguro do que navegar à deriva de rótulos não científicos.

Geralmente as estratégias de tratamento giram em torno de três eixos principais: mudanças de estilo de vida, psicoterapia e medicamentos. São fatores complementares, tendo todos um peso muito grande na melhora e na manutenção da estabilidade clínica.

Passo número 3: Mudanças de estilo de vida

Toda e qualquer pessoa que desenvolve um transtorno de ansiedade, seja ele qual for, se beneficiará de alterações no estilo de vida. Dependendo da idade, do contexto, dos gostos pessoais e da dinâmica da rotina antes da manifestação do transtorno, essa mudança poderá ser maior ou menor, priorizando um ou outro aspecto específico.

Quando falamos de estilo de vida estamos falando de um conjunto imenso de processos cotidianos, que inclui atividades físicas, alimentação, estruturação de rotina, engajamento em atividades antiestresse, fuga de vícios, controle de peso, relações interpessoais, papéis sociais etc.

O gerenciamento do estilo de vida é uma modalidade terapêutica que pode prevenir a doença em pessoas com uma tendência ainda não manifesta, reverter casos mais leves e auxiliar o tratamento medicamentoso e psicoterápico em formas mais exuberantes. Por isso, consiste em medidas de saúde pública, recomendadas para a população geral, uma vez que estamos todos em risco. O processo de benefício é lento, mas sustentável, tendo baixo risco de efeitos colaterais e impacto positivo no organismo.

Atividade física regular

Exercícios físicos têm um impacto muito positivo na saúde mental, funcionando como evidente medida contra a ansiedade. Esse efeito é visto principalmente em atividades aeróbicas realizadas com regularidade, sendo recomendável a frequência de três a cinco vezes por semana. O tipo de atividade deve ser escolhido de acordo com o gosto pessoal e a disponibilidade de cada um, afinal, existem várias opções, tais como: bicicleta, corrida, caminhada, natação, esportes individuais e coletivos, dança, artes marciais, zumba, entre muitos outros. Atividades associadas à música, realizadas ao ar livre e/ou acompanhadas por outras pessoas, podem trazer ganhos adicionais. Mas qualquer escolha é melhor que não fazer nada, sendo qualquer duração e frequência melhor que zero.

Por outro lado, é muito importante que haja regularidade e, se possível, acompanhamento de um educador físico, principalmente no caso de pessoas mais sedentárias ou com problemas de saúde ou ortopédicos. A atividade aeróbica pode ser associada a trabalhos de força, equilíbrio, ganho de massa muscular etc. Tanto a estimulação aeróbica como as atividades mais lentas

O cérebro ansioso

com enfoque no equilíbrio e no relaxamento mental trazem benefícios interessantes, podendo ser complementares. Algumas atividades como a ioga, por exemplo, trabalham, de forma adicional, a relação entre mente e corpo, enfatizando técnicas de relaxamento, concentração sustentada e também exercícios de respiração consciente.

O modo pelo qual a atividade física controla a ansiedade é variado. Primeiramente, a atividade física apresenta ao cérebro uma nova forma de perceber o mundo e direciona o foco para o cuidado de si, o que já é um excelente começo. Além disso, existe uma ativação interessante do sistema autônomo, ligado à adrenalina, gerando uma tolerância maior a eventos comuns na ansiedade, como taquicardia, sensação de falta de ar, sudorese etc. Isso ocorre porque o cérebro atrela os sintomas a uma situação controlada, prazerosa e segura, não mais a uma situação de risco, medo e sofrimento, reduzindo sua vigilância sobre eles. O coração de quem pratica exercício com frequência tende a bater de forma mais tranquila e compassada quando a pessoa não está realizando atividades físicas. O sedentarismo faz justamente o contrário, levando a batimentos mais rápidos e respiração mais ofegante mesmo em momentos de repouso ou de atividade leve. Com um sistema cardiovascular mais estável e tranquilo, o disparo do gatilho ansioso é atenuado.

Mas, além do processo de melhor gerenciamento da variabilidade cardiorrespiratória e vascular, o ganho se apresenta também no contexto bioquímico. O corpo exposto à atividade física de qualidade produz substâncias com poder antiansiedade e estabilizador do humor. Durante o exercício, produzimos as famosas endorfinas, substâncias com poder analgésico e geradoras de bem-estar. Liberamos também dopamina e serotonina, levando a um estado de recompensa e sensação de tranquilidade que transcende o tempo da atividade. Com isso nos prevenimos e nos tratamos de dentro para fora, com antidepressivos e controladores naturais de estresse produzidos pelo nosso próprio corpo. Durante a fase ativa do exercício, podemos até produzir mais adrenalina e cortisol, de forma aguda e direcionada (o que é um estresse do bem), sendo o contexto que se segue favorável, do ponto de vista físico, psíquico e cognitivo, beneficiando processos cerebrais nobres como criatividade, atenção, memorização etc.

Perceba que temos ao nosso alcance mais que uma simples válvula de escape, mais que um processo de distanciamento de problemas, mas um complexo funcionamento corporal que gera um ciclo de saúde completo.

Entre os benefícios da atividade física está também a regulação do sono, facilitando seu início, sua manutenção e a qualidade de sua arquitetura. Esse é um aspecto relevante e de influência muito positiva no controle emocional, pois sabemos quanto a falta do descanso é prejudicial. No entanto, devemos priorizar a atividade no período da manhã ou até o início da noite, evitando práticas extenuantes muito próximo do horário de dormir, pois nesse caso o impacto pode ser negativo, gerando um atraso no início do sono por conta da adrenalina envolvida.

Vê-se que, para os ansiosos, o exercício não é opcional, mas sim uma obrigação. É bem verdade que a manutenção do hábito esportivo não é nada fácil, pois exige empenho de tempo, dinheiro e energia, mas lembre-se de que seus benefícios valem a pena. É uma escolha com grande impacto na vida e um investimento com ótimo retorno em saúde, poupando recursos da farmácia e economizando tempo de terapia.

Impacto da atividade física no controle da ansiedade

Alimentação

Somos o que comemos! É muito frequente que pessoas com quadros de ansiedade precisem rever seus hábitos alimentares. Recomenda-se tomar cuidado com o excesso de estimulantes, que podem exacerbar o transtorno e prejudicar o sono. Os principais são os alimentos ricos em cafeína, como café, chocolate ao leite, refrigerante à base de cola, energéticos e alguns chás, como o mate e o preto, entre outros. A cafeína em excesso pode aumentar a sensação de ansiedade, dificultando o relaxamento e intensificando a taquicardia, a sudorese, a sensação de falta de ar etc. A quantidade que cada pessoa pode tomar antes de sentir essa ativação é variável, dependendo de fatores genéticos, hábito, tempo de ingestão e biótipo físico. Alguns indivíduos são mais sensíveis, enquanto outros resistem a doses mais elevadas. Acredita-se que algo em torno de três xícaras de café expresso ao dia seja aceitável para a grande maioria das pessoas. Deve-se ter cuidado com suplementos contendo estimulantes, como fórmulas de emagrecimento, e mesmo com compostos ditos naturais para dar energia e disposição.

Vale lembrar que a interrupção abrupta do uso de compostos com cafeína também pode gerar uma sensação de ansiedade, em um processo de abstinência. Por isso, o recomendado é que o ajuste da quantidade seja feito aos poucos.

Recomenda-se uma dieta fracionada, mais leve à noite, com menos condimentos, pois pimentas e temperos fortes também podem ter um efeito neurológico estimulante. Uma dieta pesada, gordurosa e de difícil digestão pode atrapalhar o sono e piorar indiretamente a ansiedade. Devemos buscar uma dieta balanceada, sem excessos calóricos, com boas fontes de carboidratos complexos (predominantemente em alimentos integrais), gorduras de predomínio vegetal (insaturadas), baixo consumo de alimentos

O cérebro ansioso

industrializados e com boas fontes de fibras, vitaminas e minerais. Em alguns casos, recomenda-se o acompanhamento personalizado com um nutricionista.

A frustração gerada por uma dieta inadequada é um evidente fator de piora dos sintomas psíquicos. Pessoas ansiosas tendem a comer de maneira errada, rápida e em grande quantidade, indo além da fome na busca por um alento psicológico em alimentos de baixa qualidade nutricional. Com isso, podem evoluir para quadros de distúrbios alimentares, fenômenos compulsivos e tendência à obesidade. Aqui também vemos o padrão que temos abordado durante todo este livro: a ansiedade piora a alimentação e a alimentação piora a ansiedade.

Temos uma tendência a fazer piores escolhas no período noturno, quando a repercussão no peso, no sono e na saúde é ainda mais intensa. Fazemos isso por cansaço mental, por fadiga acumulada durante o dia, por compensação a um bom dia ou por lamentação a um dia não tão bom, justificando as escolhas quantitativas e qualitativas em nosso perfil emocional, não em planejamento alimentar. Em pessoas ansiosas, esse comportamento pode ser amplificado.

Ansiosos também tendem a se exceder no açúcar, na gordura e em alimentos calóricos, uma vez que o contato com esse tipo de alimento gera um padrão de alívio quase imediato da tensão psíquica, ativando centros cerebrais do prazer com liberação de dopamina e serotonina. É um prêmio traiçoeiro, perigoso, um verdadeiro cavalo de Troia. Isso porque o alívio é efêmero e a frustração que se segue reinicia o ciclo, levando à busca de um novo alento. As ondas de prazer fugazes são substituídas por um mar de frustração, que pode provocar arrependimento e estimular a repetição dos mesmos erros.

Há uma evidente sobreposição entre o conceito de fome verdadeira e vontade de comer por ansiedade. Isso implica dificuldade no gerenciamento do mecanismo de saciedade, uma vez que se atribui ao alimento uma elevada função de regulação emocional. Aprender a reconhecer e controlar os sinais emocionais de forma menos compulsiva faz parte do tratamento. O alimento sempre terá um papel de recompensa, uma função social e uma implicação afetiva, mas, como tudo no quesito ansiedade, o problema nasce no exagero dessas ligações, na terceirização do abrandamento de frustrações e tensões ao comportamento alimentar.

Por outro lado, uma alimentação equilibrada pode trazer muitos benefícios. Alguns alimentos trazem em si um efeito mais tranquilizante, sendo por vezes recomendados a pacientes com perfis mais ansiosos. Entre eles estão o maracujá, a alface, os alimentos ricos em triptofano (um precursor da serotonina, presente na banana, ovos, queijos, leite etc.), alguns chás, como de camomila, erva-cidreira (ou melissa), erva-doce, entre outros.

O equilíbrio nutricional deve ser buscado sempre de acordo com suas características individuais, tanto de necessidade como de tolerabilidade. Cada um tem uma demanda específica, um gosto pessoal e um perfil de intolerância característico. Dietas rigorosas, radicais e engessadas costumam trazer maior desequilíbrio emocional e risco de efeito sanfona. Procure uma reeducação alimentar sustentável, baseada em conceitos abrangentes, que respeite suas demandas e necessidades pessoais. Não negligencie sua saciedade, evite os modismos e as intervenções milagrosas. Na dúvida, escute sempre a opinião de um nutricionista, o profissional com a melhor capacitação para identificar as particularidades de cada caso.

O cérebro ansioso

A alimentação na ansiedade

Vícios e compulsões

Ainda dentro do espectro do ajuste de estilo de vida, cabe discutir o controle consciente sobre vícios e compulsões. São muito frequentes, entre pessoas mais ansiosas, vícios como o tabagismo, o alcoolismo e mesmo a utilização de outras drogas, como a maconha ou substâncias que provocam ainda mais dependência e maléficos. A ansiedade funciona como importante fator de risco para comportamentos de alívio efêmero de tensão, impulsionando o vício como uma tentativa de fuga, um breve escape, uma ferramenta de enfrentamento. O problema é que essa ferramenta só funciona no curto prazo. Assim como na alimentação compulsiva, o alívio é transitório e insustentável. Pior que isso, ao tentar se afastar do comportamento, existe a tendência a um mecanismo de abstinência que piora os sintomas ansiosos. A recorrência no vício traz novo alívio e um rápido *feedback* positivo. Assim, entra-se novamente em uma cadeia cíclica sem fim, na qual o cérebro sente que precisa da droga para se ajustar, sendo que parte do desconforto é gerada pela própria ausência da substância. O cérebro que inicialmente escolheu fazer uso da droga é então escolhido e escravizado por ela.

Outra característica do vício em substâncias é um fenômeno chamado de "tolerância", no qual o cérebro passa a se tornar mais resistente a elas, demandando um aumento progressivo da dose para obter o mesmo efeito. Por exemplo, uma pessoa começa a fumar em um contexto social. Sente-se bem com um ou dois cigarros por dia. Passa, então, a perceber um alívio na tensão, uma fuga dos problemas e uma sensação de bem-estar subjetiva durante a atividade. Isso é fruto da ação da droga aliada ao contexto de exposição, geralmente entre amigos em um ambiente de descontração. O vício funciona como um catalisador social, inicialmente. O tempo passa e o cérebro começa a cobrar uma nova exposição – ele aprende rápido que determinado comportamento traz um alívio imediato e evidente. O problema é que a mesma dose não traz o mesmo efeito, então aumenta-se a quantidade e a frequência. A partir daí, o cérebro começa a sentir-se mal com o distanciamento, gritando com

O cérebro ansioso

sintomas ansiosos de abstinência. Esse ciclo compulsivo vale para inúmeras substâncias, sendo visto também em comportamentos compulsivos variados.

Vícios prejudiciais à saúde, como no álcool e no cigarro, geram frustração e desequilíbrio. O que de início funcionou como atenuante de tensão com o tempo se torna uma relação absolutamente frustrante e patológica. Passa a sinalizar um comportamento crônico e autodestrutivo, gerando insatisfação e piora da autoestima. Não conseguir abandonar uma compulsão acaba por ser um gatilho de descompensação emocional.

Podemos nos viciar em muitas coisas, lícitas e ilícitas. Seja como for, a terceirização do equilíbrio mental para uma ferramenta externa costuma cobrar um preço alto a médio e longo prazos. O alívio efêmero costuma evoluir com a dependência progressiva, dificultando a extração de prazer nas coisas mais cotidianas da vida.

Ao refletirmos sobre as mudanças de estilo de vida, precisamos avaliar nossos comportamentos repetitivos. Quantos deles são hábitos inadequados de alívio transitório? Pessoas ansiosas podem evoluir para compulsões de diversos tipos (compras, jogos, sexo, acumulação, alimentação, medicamentos, álcool e drogas, exercício, apego ao corpo). Quaisquer comportamentos recorrentes e potencialmente prejudiciais realizados de maneira excessiva e exclusivamente para um alívio transitório de tensão ansiosa entram nessa categoria. Essas não são válvulas de escape adequadas, pois, além de tempo e dinheiro, consomem saúde física e mental. Muitos compulsivos perdem o foco na sua vida pessoal e profissional, endividam-se para alimentar seus hábitos, mostram-se irritados fora do contexto de alívio e apresentam perda de rendimento e qualidade de vida.

Tratamento e prevenção dos transtornos ansiosos

Para tratar os transtornos de ansiedade precisamos de tempo, válvulas de escape saudáveis e sustentáveis, e também equilíbrio físico e mental. No entanto, retirar uma ferramenta de enfrentamento, reduzir um hábito alicerçado em questões químicas ou comportamentos crônicos não é uma tarefa fácil. Cabe ao paciente, com a ajuda de médicos, psicólogos, amigos e familiares, criar estratégias de enfrentamento: tratar corretamente a ansiedade (por vezes com medicamentos), reduzir situações sociais de exposição, dificultar a recorrência, criar alternativas que consumam o tempo e o envolvimento cerebral em atividades mais saudáveis etc. O processo pode ser bastante dificultoso e relativamente frustrante em alguns casos e contextos, mas é uma batalha que precisa ser travada.

Em alguns casos, os vícios e compulsões são manifestações intensas e evidentes, e não deixam dúvidas com relação ao prejuízo para a saúde de alguém. Quando vemos um alcoólatra grave, visualizamos a degradação que o excesso de álcool causou no indivíduo como um todo. Se alguém se vicia em crack, ninguém tem nenhuma dúvida de que aquela pessoa segue por um caminho patológico. Isso também acontece com grandes acumuladores, obesos mórbidos com compulsão alimentar, endividados que jogam ou gastam compulsivamente, e assim por diante. A dificuldade é reconhecer formas mais tênues de compulsão e dependência emocional, e refletir sobre nossas sutis tendências para aliviar questões emocionais com atitudes de esquiva ou válvulas inadequadas, descontando em alguém ou em algo uma tensão oriunda de outro contexto. Todos temos nossos hábitos, manias e comportamentos de alívio. Por isso convido você, neste momento, a refletir sobre os seus. Essa reflexão é parte fundamental do seu tratamento.

O cérebro ansioso

Quais dos seus hábitos...
- ... são saudáveis e sustentáveis?
- ... consomem tempo, dinheiro e saúde?
- ... merecem destaque positivo e investimento?
- ... merecem ser combatidos para dar lugar a novos projetos?
- ... são funcionais e produtivos, fazendo realmente bem a você e aos que o cercam?
- ... parecem ser vazios e geradores de frustração depois do alívio transitório?
- ... geram orgulho no dia seguinte?
- ... geram arrependimento?

Revisão dos papéis sociais

Sempre converso sobre esse tópico com meus pacientes, e também com meu espelho lá em casa. Assumimos papéis sociais e encenamos alguns personagens durante a vida. Temos um padrão profissional, um padrão familiar, obrigações com terceiros, comprometimentos com diversos projetos alheios. O problema é que nem sempre escolhemos o personagem e muito menos o roteiro, e acabamos um pouco restritos e amarrados a eles. Além disso, às vezes nos preparamos para uma ponta em uma minissérie e acabamos encenando esse papel como protagonistas pelo resto da vida. Somos atores da nossa própria vivência, mas não queríamos ser, queríamos ser autores! O enfrentamento da ansiedade abre um excelente espaço para a reflexão sobre os ajustes necessários. Vale analisar relacionamentos desgastados, assimétricos, possessivos e infelizes, reordenar suas obrigações sociais, restabelecer o controle sobre sua agenda e rotina, desengavetar projetos pessoais etc. Buscar uma revisão ampla, encurtando a distância entre quem você é, quem você se tornou e quem você realmente quer ser. Nós nos afastamos de nossa essência aos poucos e lentamente, abdicando um pouquinho aqui e ali. Mas, como a caminhada é longa, uma pequena perturbação na angulação gera grandes diferenças no destino no longo prazo. De tempos em tempos, nós nos damos conta de que estamos distantes de onde queríamos estar. Gosto de pensar que o ajuste no caminho não precisa ser feito voltando ao ponto de desvio, mas com uma eventual guinada em busca do trilho que seguiu meio que paralelo.

DISCUSSÃO SOBRE MUDANÇAS DO ESTILO DE VIDA

Como vimos neste capítulo e no anterior, a ansiedade se alimenta de fatores cotidianos. Qualquer busca por uma melhora deve passar obrigatoriamente por uma revisão dos fatores contextuais e do modo como estamos vivendo. O objetivo não é apenas reduzir os sintomas e seguir adiante, mas buscar modificações para o transtorno ir embora e não voltar mais.

A ansiedade patológica é um sinal de alerta – mesmo que seja um alerta meio desregulado, desajeitado – que aponta para hábitos inadequados, recentes ou crônicos, que merecem ser reconhecidos e transformados. A doença pode ser o gatilho para a mudança na sua história, para a limpeza em processos e atitudes, pois não existe transformação sem crise. O transtorno pode ser essa crise, na qual o corpo manifesta o desejo de uma rotina

O cérebro ansioso

mais leve, de relacionamentos afetivos e sociais diferentes, de outra forma de ganhar e tocar a vida. Tomar um remédio e seguir em frente da mesma forma é perder a preciosa oportunidade de se renovar. Dizem por aí que o maior erro é esperar resultados diferentes fazendo as coisas da mesma forma. Eis um exemplo bom disso. Administrar a tendência genética à ansiedade excessiva exige ajustes, controle, empenho e monitorização. A tendência biológica cobra por abusos de ritmo, por sedentarismo, por falta de descanso, pela aceitação de papéis sociais inadequados, por hábitos desfavoráveis etc.

Pontos de intervenção no estilo de vida

Atividade física regular

Alimentação

Redução de vícios e comportamentos compulsivos

Introdução de válvulas de escape saudáveis

Atenuação de estresse

Ajuste de ritmo de vida

Eleição de prioridades

Ajuste de expectativas e grau de cobrança

Revisão de seus papéis sociais

Passo número 4: Psicoterapia

A psicoterapia é um passo fundamental para o tratamento dos transtornos ansiosos. A grande maioria dos estudos aponta que os tratamentos que incluem formas de psicoterapia trazem resultados melhores e mais sustentáveis. E isso faz todo o sentido! A doença se manifesta na mente, tem um forte componente emocional e se vale de rotas e processos aprendidos e desenvolvidos, em parte, mediante as vivências. Na psicoterapia, abordam-se, entre outras coisas, o gerenciamento de memórias e o reconhecimento dos mecanismos de defesa, que promovem o desenvolvimento de melhores ferramentas psíquicas de enfrentamento. Ao lado de um bom psicólogo, o paciente se fortalece. Pode trabalhar ao longo das sessões suas fragilidades e sua maneira de encarar os sintomas. Ao refletir, de forma direcionada, sobre questões mal resolvidas de seu passado e de seu presente, o paciente traz à consciência uma problemática por vezes delegada a respostas ansiosas involuntárias e automáticas. O psicólogo ajuda o paciente a colocar ordem na casa. No caso de transtornos de ansiedade, os trabalhos com relação à autoestima, à compreensão da forma de comunicação do corpo diante de determinadas situações, à superação do desconforto físico e psíquico e à adequação do nível de cobrança e perfeccionismo auxiliam muito no processo de cura e prevenção de recaídas. O psicólogo não é um amigo ou um ouvido paciente – até pode ser, eventualmente, mas nunca se limita a isso. É um profissional capacitado na organização do processo psicológico, no rearranjo dos pensamentos disfuncionais e no desenvolvimento de uma mente capaz, com sensores de risco ajustados, que gera respostas proporcionais. A psicoterapia é a arte de ajustes das ferramentas mentais, e pode ajudar o paciente a sair do papel de vítima vulnerável e impotente para o papel ativo de enfrentamento.

O cérebro ansioso

A psicoterapia pode auxiliar também no desenvolvimento de formas de substituir pensamentos automáticos por outros mais adequados. Pode atenuar a expressão do medo e do receio desmedidos, ensinando e direcionando a mente a superar traumas. Pode contribuir para o desenvolvimento de resignação e de resiliência, para quando essas habilidades forem requisitadas.

O mesmo cérebro que adoece é o que se cura. Afinal, ele é um órgão dinâmico e moldado pela vivência. O comando correto traz uma nova *performance*.

A psicoterapia deve ser feita de forma regular e frequente, uma ou duas vezes por semana, com exceções discutidas caso a caso. O resultado depende de inúmeras variáveis, como o grau de envolvimento do paciente, a empatia desenvolvida nas sessões, o tempo disponibilizado para o processo, o tipo de transtorno envolvido, a técnica utilizada pelo terapeuta, entre outros. Os benefícios geralmente exigem paciência, pois podem demorar meses para serem percebidos. As mudanças de padrões mentais não ocorrem de uma hora para outra, demandando um processo de amadurecimento do tratamento que não pode ser acelerado. Aquilo que se aborda nas sessões precisa ser revisto e aplicado no dia a dia, gerando um controle consciente cada vez mais natural, desligando processos patológicos automáticos aos poucos.

Existem diversas linhas de psicoterapia, cada qual com sua aplicabilidade na ansiedade, não sendo o escopo desta obra discuti-las de forma individualizada. Mas uma delas aparece com destaque nos estudos de ansiedade: a terapia cognitivo-comportamental.

Esse tipo de terapia, conhecida pela sigla TCC, ajuda muitos pacientes com fobias específicas, como síndrome do pânico, síndrome do estresse pós-traumático e TOC, mas também pode ser útil em outras formas de ansiedade patológica. Nela, o paciente aprende a reconhecer os sintomas e a alterar o padrão mental diante de determinada exposição. Feito de forma recorrente, orientada e progressiva, isso gera ganho de confiança, respostas menos amplificadas, como se o paciente desenvolvesse uma resistência maior, uma espécie de dessensibilização.

Trata-se de um treinamento mental com ganhos e metas seriadas, como um treinamento progressivo. É uma técnica bastante interessante, interativa e desafiadora, que traz o paciente para o enfrentamento utilizando seus próprios recursos mentais, fortalecendo-o aos poucos.

Quando sentimos medo e uma reação excessiva e desconfortável, preferimos nos afastar e evitar a exposição. Isso gera mais ansiedade antecipatória e a sensação de impotência. A TCC vai no caminho contrário, buscando expor o paciente à sua ansiedade de maneira planejada, de forma a demonstrar que ele pode ser mais forte, aplicando técnicas conscientes que o ajudem a superar o desconforto da exposição. Quando a superação ocorre, o paciente se empodera e tem um *feedback* positivo, apresentando mais controle sobre sua ansiedade.

O tipo de situação a que o paciente será exposto depende muito da forma do transtorno. A terapia deve ser completamente personalizada e desenvolvida pela análise do terapeuta aliada à participação do paciente. O que é importante ressaltar é que a exposição segue um padrão de hierarquia. A pessoa ansiosa irá se expor inicialmente a situações mais leves, em que ela sente menos desconforto, havendo uma progressão do nível de dificuldade apenas quando existe um bom rendimento na exposição anterior. Esse planejamento de hierarquia é obtido com a interpretação do próprio paciente, que cria, por exemplo, uma lista de situações que geram ansiedade, atribuindo uma intensidade de dificuldade a cada uma delas.

Vamos a exemplos práticos.

O cérebro ansioso

1º exemplo

Carol tem fobia social. Ela tem respostas ansiosas em situações socialmente desafiadoras. Eis uma lista de hierarquia possível em seu caso:

Puxar conversa com um vizinho no elevador	Ansiedade leve
Perguntar as horas a um estranho na rua	Ansiedade leve
Convidar uma colega de faculdade para estudar	Ansiedade moderada
Cantar em um *videokê*	Ansiedade intensa
Apresentar um trabalho para mais de dez pessoas	Ansiedade intensa

A graduação de tensão pode ser classificada como "leve", "moderada" ou "intensa" (como no exemplo acima) e também com números, em uma escala de zero a dez (sendo zero uma situação que não provoca ansiedade e dez, uma que provoca ansiedade muito forte). Essa lista pode ter quantos itens forem necessários e pertinentes a cada caso. Perceba que as situações são práticas e dependem do contexto do transtorno. O terapeuta pode abordá-las de maneira imaginativa, simulada ou mesmo de forma real, em cenários cotidianos verdadeiros. O intuito da exposição não é apenas o enfrentamento, mas o desenvolvimento de uma reflexão racional sobre determinado gatilho e a forma de reação, gerando uma resposta mais adequada que a resposta desmedida e angustiante.

Durante o processo de exposição, o terapeuta trará interpretações menos catastróficas, minimizando a percepção de estresse e sofrimento. Também pode aplicar técnicas de desvio de foco, facilitando o enfrentamento, e ensinar técnicas de relaxamento muscular, respiração consciente, gerenciamento de sintomas iniciais, reduzindo o risco de um efeito de bola de neve que produza crises fortes, como as do pânico.

Durante as sessões, o paciente irá verbalizar suas sensações, tornar sua resposta mais argumentativa e tentar trazê-las para um nível mais consciente, tomando as rédeas da sua reação. A ideia não é que ele se sinta incapaz e frustrado, mas sim que consiga dominar as dificuldades, trazendo-as a um nível aceitável e mais previsível.

Medo se vence com medo. A exposição parece ser uma poderosa ferramenta para desenvolver resistência. É mais ou menos como expor um alérgico a doses baixíssimas, mas progressivamente maiores, da substância que ele não tolera.

Esse tipo de terapia ajuda muita gente a dirigir, a encarar viagens aéreas, a entrar em elevadores ou em máquinas de ressonância, a superar traumas, a comer em público, a falar para uma plateia etc. O cérebro pode ser condicionado a ter uma expressão ou outra diante do estímulo. Tudo dependerá do contexto da exposição e da emoção que compõe o pano de fundo e que colore determinada vivência.

Na TCC, a mente se direciona a pensamentos conscientes, voluntários e racionais. Vamos refletir sobre a primeira situação apresentada no exemplo. O que conversar com um vizinho pode provocar? O que se tem a ganhar ou a perder nessa interação? Que tal focar as possibilidades positivas? Que tal quebrar o constrangimento gerado pelo seu silêncio e esquiva do seu olhar? Que tal começar com apenas um boa-noite e um aceno leve de cabeça?

O cérebro ansioso

A outra pessoa é um ser humano como você, que erra e acerta, que pode ajudar ou precisar de ajuda algum dia. Por que não estabelecer um contato? O terapeuta direciona a mente a uma zona de conforto maior, desconstruindo o pesadelo idealizado pela ansiedade e pela fobia específica, trazendo a vivência para moldes aceitáveis.

A mente ansiosa tende a dramatizar e gerar tensão onde não deveria haver. Tende a criar expectativas e se apegar a alternativas negativas de um futuro que nunca dá certo. Pensa no "tudo ou nada", no "vai que eu ponho tudo a perder", colocando pompa demais em situações cotidianas, tirando a naturalidade e aumentando a preocupação. No caso em questão, o medo está na impressão de estar sendo julgado – um medo que se baseia em elevada expectativa, baixa autoestima, sensação de inferioridade e hiperfoco no resultado. Caberá ao terapeuta, junto com o paciente, desconstruir o contexto mental, lidar com ele com bom humor, até que o ansioso aprenda a simplesmente jogar o jogo, desqualificando as expectativas. Nesse exercício são tratados os seguintes pontos:

- Aceitar o resultado negativo ("Que se dane se a interação for ruim!");
- Desqualificar a vivência ("É só uma conversa de elevador!");
- Enfatizar a perda da esquiva ("Qualquer contato é melhor que nenhum contato.");
- Tirar o foco de si ("Se for estranho, pode ser por culpa do outro.");
- Gerar a sensação precoce de missão cumprida ("Você fez sua parte, foi educado e gentil.").

Tratamento e prevenção dos transtornos ansiosos

Perceba que são regras gerais de enfrentamento, adaptadas a determinada situação. A mente emocional e ansiosa maximiza, e o cérebro voluntário precisa intervir e redimensionar a expectativa para levar a cabo a vivência sem muito sofrimento.

2º exemplo

Luiza tem fobia de borboleta. Ela não pode sequer imaginar um contato que seu coração dispara e surge um desespero imenso, desproporcional e avassalador.

Trata-se de uma fobia específica – bem específica, aliás. Fobias a determinados animais ou grupo de animais são relativamente comuns na população. Muitas vezes as pessoas têm fobias de animais pegajosos, sujos ou potencialmente agressivos e venenosos, mas por vezes surgem fobias fora desse padrão, como a de Luiza, que tem como alvo do medo um animal inocente, relativamente limpo e até bonitinho. Nesse contexto, a disfunção do medo fica mais evidente e clara, revelando que esse não é um medo racional. Seja como for, é possível que uma fobia assim talvez nem precise de muito tratamento, uma vez que geralmente conseguimos até administrar ou evitar nossos encontros com borboletas. No entanto, Luiza cursa Biologia, tendo que realizar estudos e atividades práticas recorrentes envolvendo sua fobia.

Para as fobias específicas, o uso de medicamentos tem ação limitada, sendo a psicoterapia um caminho mais fértil e adequado. Nesse quesito, a TCC surge como uma opção muito boa e com eficiência interessante.

No caso da Luiza, o enfrentamento foi hierarquizado conforme sua dificuldade de enfrentamento. Sua lista ficou mais ou menos assim:

O cérebro ansioso

Mentalizar uma borboleta voando	Ansiedade leve
Ver um desenho de borboleta estilizada, sem cor	Ansiedade leve
Visualizar uma foto real de uma borboleta	Ansiedade moderada
Assistir a um vídeo de um borboletário	Ansiedade moderada
Segurar uma borboleta morta nas mãos	Ansiedade intensa
Deixar uma borboleta viva pousar no seu ombro	Ansiedade intensa

As exposições seguirão da menos complicada para a mais complicada. O terapeuta seguirá adiante apenas quando o item anterior estiver mais confortável. O foco será a dessensibilização, reduzindo os sintomas psíquicos e físicos relacionados à experiência. Serão utilizadas técnicas de mudança de foco, de reflexões conscientes, de desenvolvimento de tolerância a períodos progressivamente maiores de interação e de valorização de aspectos positivos. O sistema de metas progressivas gera engajamento, auxiliando na evolução do paciente.

Pode ser que Luiza jamais goste de borboletas e que escolha trabalhar com algo que passe bem longe delas, mas, dentro de uma expectativa real de resultado, ela pode tolerá-las o suficiente para participar de aulas, trabalhos e provas que envolvam essa exposição.

Tratamento e prevenção dos transtornos ansiosos

No entanto, a TCC vai muito além das fobias específicas, sendo utilizada também em situações nas quais a exposição geradora da ansiedade não é tão clara e restrita.

No TOC, por exemplo, o paciente é treinado a resistir a obsessões, a gerar respostas melhores e mais funcionais que os comportamentos compulsivos. Nesses casos, o trabalho também é lento, estruturado e progressivo. O paciente evolui aos poucos, sustentando tempos cada vez maiores a gatilhos progressivamente mais fortes. Da mesma forma que nos exemplos anteriores, o paciente elege uma hierarquia de obsessões e comportamentos, gerando níveis de enfrentamento a serem vencidos um a um. O trabalho envolve racionalização das obsessões, mudanças de foco, respostas mais sutis e menos aparentes, buscando a substituição ou uma menor reverberação das alças cíclicas do transtorno. No caso específico desse transtorno, a associação da TCC a medicamentos e mudanças de estilo de vida parece ser o conjunto terapêutico com a maior chance de sucesso.

A TCC também pode ser utilizada no pânico. Em casos em que a pessoa tem sintomas em determinada situação o processo irá buscar a dessensibilização ao gatilho, mas a terapia pode ser aplicada mesmo naqueles casos que apresentam crises sem um motivo tão claro, sem uma situação gatilho assim tão evidente.

Uma técnica usada eventualmente nesses casos é expor o paciente aos sintomas e às sensações que ele sente durante o pânico, de forma mais leve e mais controlada, fazendo-o sentir e perceber que não há ameaça nessas experiências físicas e psicológicas. Esse processo pode ser útil para evitar o efeito cascata muito comum em crises de pânico, que ocorre quando o paciente percebe os sintomas físicos iniciais e se sente cada vez mais ameaçado, o que gera mais adrenalina e sintomas progressivos.

3º exemplo

Marcos tem transtorno de pânico, já teve quatro crises de intensidade elevada nos últimos três meses, desenvolveu agorafobia e ansiedade antecipatória. Durante suas crises sente bastante taquicardia, formigamento nos lábios e tontura. Só de pensar nos sintomas já se sente mal. As crises ocorreram em situações diversas e sem um precipitante evidente.

O paciente com pânico pode passar a ter hipervigilância com relação a pequenas variações físicas, o que leva a elevações abruptas da ansiedade e gera amplificação dessa oscilação normal inicial. Por exemplo, por estar excessivamente atento e com medo de uma nova crise, ele pode valorizar um aumento leve da frequência cardíaca ou um formigamento sutil decorrente de uma variação normal na circulação de uma parte do corpo. Seu cérebro pode desencadear um fenômeno ansioso simplesmente por estar excessivamente vulnerável e assustado com as crises anteriores. Nesses casos, uma abordagem possível na TCC é fazer o paciente se expor e tolerar cada vez mais os sintomas típicos do pânico. O terapeuta pode propor exercícios e treinamentos que levam o paciente a uma sensação menos intensa e mais bem controlada, até que ele se sinta mais confiante e resistente.

Por exemplo, como Marcos sente muito formigamento durante a crise, ele poderia praticar encher bexigas até desenvolver certo domínio desse sintoma. Para as tonturas, o terapeuta poderia desencadear uma vertigem leve, por exemplo, fazendo o paciente rodar sobre o próprio eixo algumas vezes e gerenciar o desconforto, fortalecendo-se em relação a esse sintoma. A taquicardia pode ser acionada com exercícios, e a falta de ar, com o ato de prender a respiração. E assim por diante.

No caso do pânico, o paciente pode ser treinado também a modificar seu padrão mental, substituindo pensamentos

Tratamento e prevenção dos transtornos ansiosos

emocionais catastróficos por pensamentos conscientes bem mais racionais e otimistas. O paciente pode, por exemplo, tentar substituir o desespero e a sensação de morte iminente do início de uma crise por outros pensamentos: *Já tive crises antes e estou aqui, bem vivo! Pânico maltrata, mas normalmente não mata! Sou uma pessoa saudável, não teria como morrer assim de repente numa crise de ansiedade! Essa crise terá começo, meio e fim, vou resistir e me sair bem, sem me desesperar.* E assim por diante. Surge um cabo de guerra entre a sensação automática de desespero e um enfrentamento com pensamentos pautados no bom senso e em experiências anteriores.

Mudar o padrão mental é fundamental para que o paciente possa aprender maneiras de resistir aos sintomas físicos iniciais, evitando o efeito cascata. Uma medida fundamental é respirar profunda e lentamente, evitando a perda de CO_2 e a piora dos sintomas de tontura e formigamento. Também pode ajudar conseguir se afastar um pouco da situação que deu origem ao sintoma inicial, além de outras medidas como se sentar ou deitar e tomar um gole de água – tudo isso pode ajudar a conter algumas crises em uma fase inicial. O paciente participativo, que enfrenta de alguma forma sua ansiedade, se sente mais confiante, com um melhor controle, e pode retomar aos poucos sua qualidade de vida.

Perceba que o psicoterapeuta pode treinar o paciente por tempos variados, tanto na resistência a uma situação como na resistência a determinados sintomas. Isso é feito de forma progressiva e sistemática, com medidas personalizadas direcionadas caso a caso. Com a evolução, o paciente torna-se mais capacitado a enfrentar a ansiedade inicial, a gerenciar obsessões, a evitar esquivas, a modificar compulsões.

O cérebro ansioso

Existem outras modalidades de psicoterapia, como dito anteriormente. Elas podem ser também bastante úteis em casos com depressão associada, traumas anteriores mal resolvidos, estresse demasiado, TAG, entre outros vários contextos. Cabe ao médico ou ao próprio psicólogo reconhecer a modalidade, ou as modalidades, que melhor se adéqua a determinado contexto e fase do paciente.

O maior problema está na aplicabilidade da psicoterapia. Infelizmente, a oferta desse tipo de tratamento na rede pública é muito aquém da demanda. Faltam psicólogos e falta estrutura de atendimento pelo Sistema Único de Saúde (SUS).

Fora do sistema público, temos o sistema de convênio e o atendimento particular (com o custo totalmente a cargo do usuário). O atendimento feito pelos convênios tem cobertura variável e muitas vezes exige alguma indicação médica e relatórios, limitando o número de sessões e não disponibilizando alternativas dentro de determinadas linhas de abordagem. Os baixos repasses financeiros levam à frustração progressiva, necessidade de atendimentos mais breves e, algumas vezes, perda do seguimento por desligamento do profissional. O psicoterapeuta tem uma formação complexa, longa e desenvolve habilidades especializadas, necessitando de muito mais valorização para exercer dignamente sua arte e ofício.

No setor particular, a situação melhora em questão de estrutura e suporte, mas normalmente os tratamentos são caros, dado que o seguimento é longo e demanda avaliações frequentes. Com isso, torna-se inacessível para muitos pacientes. Outra dificuldade é a distância da casa do paciente, que pode impor limitações de acesso pelo trânsito das grandes metrópoles. Uma modalidade que tem ganhado algum espaço recentemente é o atendimento psicoterápico feito por videoconferência, que pode ser pertinente em determinados casos.

Para aqueles que não têm acesso a psicólogos e aos métodos da TCC, existem materiais específicos com dicas de treinamentos que os pacientes podem fazer em casa, sozinhos. Gosto muito de um guia prático escrito pelo psiquiatra brasileiro Tito Paes de Barros Neto, chamado *Sem medo de ter medo* (Segmento Farma, 2016). Na obra, o psiquiatra aborda metodologias e ferramentas de enfrentamento de situações relacionadas ao medo, ao pânico, ao estresse e às obsessões, com dicas bem práticas e exercícios oriundos de conceitos cognitivo-comportamentais, que geram dessensibilização e enfrentamento assistido. Recomendo a leitura como complemento a esta nossa conversa.

A psicoterapia pode ser aplicada isoladamente em alguns casos, mas também apresenta resultados muito positivos quando associada a medicamentos para ansiedade, podendo compor um tratamento combinado, a critério da equipe multidisciplinar. Nos casos de tratamento associado, o medicamento ajuda na psicoterapia e a terapia ajuda na regulação do medicamento.

O conceito de psicoterapia precisa ser encarado sob uma ótica abrangente, que envolve sessões com profissionais habilitados (psicólogos ou psiquiatras), mas também outras formas de terapia psíquica e reflexões. Sob essa abordagem, podemos considerar diversas modalidades adicionais, como o trabalho de um *coach*, estudos feitos pelo próprio paciente, aspectos relacionados à religiosidade, grupos de apoio etc. Tudo que confluir para um melhor direcionamento psíquico diante dos fenômenos ansiosos pode se agregar ao tratamento padrão.

O cérebro ansioso

RESIGNAÇÃO E RESILIÊNCIA

Durante o tratamento, é muito importante que o ansioso recupere o domínio de sua mente, que desenvolva habilidades preciosas com destaque para dois "Rs": resignação e resiliência.

A *resignação* refere-se à capacidade de aceitar aquilo que não se pode prever ou mudar. Trata-se de uma modalidade psíquica geralmente difícil para alguém muito ansioso, que busca o controle das variáveis e a prevenção de situações desfavoráveis. O perfeccionismo e a reverberação de memórias e pensamentos antigos também são frequentes na ansiedade e passam pela baixa resignação. O mundo incomoda o ansioso. Ele frequentemente sente que as coisas não ocorrem como ele gostaria, seguindo em um ritmo diferente, com imperfeições e incertezas. Nessa medida, a resignação torna-se uma ferramenta de sobrevivência, pois enfatiza que nem tudo é responsabilidade do ansioso. Ele terá que aceitar a imprevisibilidade do futuro, as variáveis fora de controle, e aprender a administrar o imponderável.

A resignação verdadeira é uma virtude de poucos, mas também deve ter um limite. Devemos ter a força e a coragem para buscar transformar aquilo que podemos mudar, mas também devemos ter a resignação de aceitar aquilo que foge da nossa capacidade de escolha, de controle e de previsão. Aprender a aceitar a falha, o erro e as limitações do processo da vida é uma medida de prevenção e redução do estresse.

Existe uma frase popular famosa e clichê que versa sobre isso: "Senhor, dai-me força para mudar o que pode ser mudado, resignação para aceitar o que não posso mudar e sabedoria para distinguir uma coisa da outra".

O segundo "R" importante é o da *resiliência*. Esse termo, roubado da física, serve para descrever a capacidade de alguns materiais. Algo resiliente é algo que, ao receber determinada pressão externa, consegue alterar sua

Tratamento e prevenção dos transtornos ansiosos

forma sem sofrer mudanças em sua estrutura. Parece complicado, mas não é. A resiliência seria o poder de resistir a uma força contrária sem perder a integralidade, retornando ao estado normal após o término da pressão. Note que ela é bem diferente de dureza, pois algo pode ser duro e pouco resiliente. Por exemplo, um pedaço fino de madeira ao ser exposto a uma força excessiva poderá quebrar, alterando sua conformação. A madeira é dura, mas não resiliente. O melhor exemplo de algo resiliente é uma mola: ela se encolhe diante de uma força contrária, ficando menor, mas não altera sua estrutura interna. Ela se restabelece devolvendo ao mundo a mesma força que lhe foi aplicada, retornando ao seu estado anterior. Um exemplo de baixíssima resiliência é uma folha de papel. Ao ser dobrada ou amassada, ela aceita a pressão, se altera de forma exagerada e definitiva, e não volta mais a ser como antes, apresentando em si as marcas dos seus estressores.

Devemos buscar ser mais e mais resilientes. Podemos receber as pressões e nos encolher em fases estressantes e dificultosas da vida, mas, como a mola, devemos preservar nossa essência e retornar firmes e fortes após experiências traumáticas. Isso não é nada fácil; nossa mente por vezes está mais para uma folha de papel. A cada decepção e frustração, jogamos um pouco mais a toalha, ficamos mais amedrontados e inseguros, e seguimos pessimistas e amargos com as pancadas que recebemos por aí.

Resiliência total é uma utopia, é uma característica não humana, coisa de mola mesmo. Somos um conjunto peculiar de nossas vivências, positivas e negativas. Mudamos a cada minuto. Nosso cérebro sempre carregará cicatrizes, mas necessitamos de alguma resiliência para levantar a cabeça e tentar de novo, para que o medo e o negativismo não nos boicotem e limitem nossa evolução pessoal.

Sejamos resignados, na medida do necessário, e resilientes, na medida do possível.

O cérebro ansioso

Passo número 5: Medicamentos

Entramos agora no nosso quinto degrau do tratamento. Essa é uma discussão importante e emergente. Os transtornos de ansiedade precisam ser encarados sob a ótica de sua causa multifatorial. Genética e ambiente confluem para um desarranjo cerebral, amplificando as vias do medo, das expectativas e da resposta de luta ou fuga, reduzindo o funcionamento de vias relacionadas ao controle emocional, ao controle de impulsos e a pensamentos lógicos e voluntários. Esse desbalanço é real e ocorre em regiões específicas do cérebro humano. Pessoas com transtornos severos de ansiedade apresentam diferenças de funcionamento perceptíveis em exames sofisticados de pesquisa que analisam o metabolismo do sistema nervoso, mostrando diferenças, *bugs* e disfunções em redes de neurônios (células que comandam nosso comportamento). Isso é importantíssimo, pois a ansiedade não deve ser encarada como uma variação emocional subjetiva, uma questão filosófica ou um aspecto que demanda meramente um ajuste de pensamento. Estamos falando de transtornos fisiológicos, tais como outras doenças biológicas, palpáveis e remediáveis.

Por mais que sua base bioquímica ainda esteja sendo investigada, no caso da ansiedade acredita-se que haja um mal funcionamento das vias que trabalham com um transmissor chamado serotonina. Essa análise se baseia em estudos variados e na resposta positiva encontrada na utilização de medicamentos que aumentam a ação dessa molécula no cérebro.

A serotonina é um composto químico famoso que participa da comunicação entre alguns neurônios. Muitas das redes que dependem dela participam do gerenciamento do nosso humor, da nossa afetividade, da nossa percepção de prazer e bem-estar, do ajuste do nosso medo e da nossa insegurança, gerando padrões de percepção

Tratamento e prevenção dos transtornos ansiosos

e resposta. Com o funcionamento ineficiente das vias reguladas pela serotonina, ficamos mais depressivos ou mais ansiosos, sofrendo de forma desproporcional, com tendência a pensamentos e previsões mais catastróficos, com mais irritabilidade e intolerância e com respostas amplificadas do sistema autônomo (resposta de luta ou fuga), o que gera parte do contexto visto em transtornos de ansiedade.

As regiões mais relacionadas aos transtornos ansiosos, com grande presença de redes cerebrais mediadas pela serotonina, estão em um setor de controle emocional chamado sistema límbico. Trata-se de um sistema profundo, mais antigo na escala evolutiva, bastante potente no gerenciamento do comportamento. Ele regula nossas memórias e nossas respostas instintivas, nosso comportamento alimentar e sexual, nossos sistemas de sobrevivência tanto pessoal quanto do ponto de vista da espécie. É um sistema fundamental para o funcionamento correto do cérebro, cheio de alças e influências que precisam ser reguladas e monitorizadas.

Esse sistema está sempre em constante conversa (e vigilância) com o sistema racional, mais novo na evolução, mas de ação igualmente potente no ser humano. Racionalmente, temos a crítica, o juízo, o raciocínio lógico matemático, o sistema de previsão de resultados, a tomada de conduta etc. O sistema racional (que se aloca principalmente nos lobos frontais, na parte anterior do cérebro) conversa e gerencia continuamente o sistema emocional (alocado predominantemente nos lobos temporais). Fazendo uma interpretação bastante simplista, nosso comportamento final é mediado pela harmonia entre esses dois sistemas. Nos transtornos de ansiedade, acredita-se em um funcionamento inadequado deles, trazendo à tona medos desmedidos, fora de alvo e contexto, respostas exacerbadas, hipervigilância e pensamentos e ideias intrusivos. O organismo fica mais sensível ao estresse, sofre antes e produz

O cérebro ansioso

comportamentos menos adaptativos, o que compromete o rendimento final. O sistema racional perde a capacidade de otimizar a percepção e a análise de risco e resultados. Já o sistema emocional está amplificado, em uma situação de desproporção, desajuste.

Com disfunção de suas redes, a amígdala cerebral, estrutura que quantifica o risco, passa a disparar excessivamente, alertando o hipotálamo, outra estrutura nobre das profundezas do cérebro humano, com influência direta sobre glândulas e nervos do sistema que controla a resposta de luta ou fuga. O hipotálamo, por sua vez, recebe ordens de disparar ajustes, fazendo o coração bater mais rápido, a pele transpirar, os pulmões ventilarem de forma rápida e superficial, a adrenal, que mora lá em cima dos rins, liberar estoques de adrenalina e cortisol, influenciando o funcionamento de todo o organismo no processo que já vimos no primeiro capítulo. As redes cerebrais funcionam sob uma complexa cadeia, com uma hierarquia bastante clara. Como em uma corporação do exército, a ordem de um comandante é seguida quase cegamente por seus subordinados. Se o sistema límbico mandou lutar ou fugir, que seja feita vossa vontade! A resposta segue seu fluxo.

Toda essa conversa tem a intenção de explicar a possibilidade de prescrever medicamentos para pessoas com transtornos de ansiedade. Nos últimos sessenta anos, a farmacologia desenvolveu compostos capazes de chegar ao cérebro e regular a ação de alguns transmissores como a serotonina, melhorando o funcionamento de algumas vias e trazendo um novo equilíbrio bioquímico. A ideia seria melhorar o rendimento e devolver a normalidade de vias que funcionam abaixo ou acima do previsto.

Essa evolução gerou uma nova era na compreensão dos transtornos da mente humana e uma nova fase na abordagem terapêutica. Além do ajuste do estilo de vida (fundamental, uma vez que o cérebro se molda pelo contexto em que está inserido), da atividade psicoterápica (que auxilia o condicionamento e o gerenciamento de vivências anteriores), teríamos agora como regular, pelo menos em parte, o funcionamento bioquímico do cérebro. A ação em três frentes compõe um time de respeito no enfrentamento de doenças que tanto impactam o rendimento humano.

Os medicamentos têm evoluído bastante nas últimas décadas com o aparecimento de produtos cada vez mais direcionados e com menos efeitos colaterais. Vejo essa nova era com bons olhos. Gosto da ideia de termos ferramentas variadas no enfrentamento dos transtornos mentais, antes negligenciados. Encanta-me que o cérebro tenha passado a ser visto como um órgão como qualquer outro, que adoece e que talvez precise de auxílio para se curar, e não mais como um órgão inalcançável e inatingível, sendo seus transtornos levados a um *status* de baixa reversibilidade, crônicos e incuráveis. A despeito de tudo que ganha aspectos negativos com a modernidade, parece que nesse quesito tivemos um grande avanço, e vejo uma medicina mais democrática e menos negligente com os transtornos da mente humana (apesar de ainda estar bem longe do ideal).

Considero os medicamentos para a ansiedade como mais uma ferramenta em prol da cura e estabilização do quadro do paciente. Não como a pílula mágica que tentaram vender em décadas passadas, mas uma terapia complementar que pode ajudar a equacionar a matemática emocional enquanto outras modalidades são implementadas. O impacto dos medicamentos no tratamento de algumas formas de ansiedade e mesmo da depressão é indiscutível. Inúmeros trabalhos, com ótima metodologia científica e boa amostragem, pareados com placebo (substâncias sem nenhum princípio ativo) e replicados por todo o mundo, confluem na

O cérebro ansioso

ideia de que os medicamentos trazem um efeito bastante positivo quando bem indicados e gerenciados.

Entendo que a utilização de um medicamento que age no cérebro traga alguma tensão e insegurança, até porque essa é uma realidade relativamente recente na história da medicina. Muitos têm receio de o remédio mudar sua personalidade ou reduzir sua criatividade, ou mesmo levar à dependência ou a efeitos colaterais exuberantes. São questões disseminadas e enraizadas no imaginário coletivo, muitas vezes superdimensionadas, sem nenhum substrato científico, semeadas como mitos urbanos modernos.

Na verdade, há diferentes grupos de remédios com aplicações distintas. Há medicamentos utilizados como tratamento, prevenindo crises e reduzindo cronicamente a expressão dos transtornos (esse é o grupo mais importante). Outros são utilizados no alívio momentâneo da ansiedade, conhecidos como calmantes ou tranquilizantes, tendo seu uso justificado em situações específicas para alívio sintomático e transitório. Existem substâncias mais suaves que podem trazer benefício em casos mais sutis, como os fitoterápicos. E, por fim, temos os medicamentos acessórios, que visam atenuar os sintomas físicos pontuais, como tensão muscular, tremores, taquicardias, insônia, entre outros. Conversaremos sobre eles de forma separada, a seguir.

Medicamentos preventivos de uso contínuo

Esses são os medicamentos mais adequados na prevenção de crises de ansiedade a médio e longo prazos. São de uso diário, contínuo e regular, cuja função é alterar o funcionamento de algumas redes cerebrais, agindo principalmente na função dos neurotransmissores, como a serotonina. Existem diversas opções atualmente disponíveis, compondo famílias com mecanismos de ação por vezes um pouco diferentes. Além da regulação da serotonina, alguns medicamentos também alteram a ação de outras moléculas importantes, como a noradrenalina e a dopamina, o que pode ser interessante em alguns casos, mas a molécula mais importante no controle da ansiedade ainda é a serotonina. Por isso, a grande maioria dos medicamentos dessa categoria terá ação de aumento na função dela. Esse tipo de remédio é administrado por via oral, pela manhã ou à noite, ou mesmo em doses mais fracionadas, de acordo com a escolha de seu médico.

Essa classe de medicamentos não age na hora nem alivia a ansiedade de forma imediata. Essas substâncias têm uma ação cumulativa ao longo de dias e semanas, reduzindo progressivamente a ansiedade até obter seu efeito pleno, prevenindo crises e atenuando a expressão da doença. Por isso, é preciso paciência na fase inicial. O efeito positivo na ansiedade pode demorar de quatro a oito semanas para começar a aparecer. Por isso, o paciente pode não sentir uma melhora inicial ou até sentir-se um pouco pior, seja pela presença de algum efeito colateral, seja pela intensificação transitória da ansiedade nos primeiros dias. Isso precisa ficar bem claro, para que o uso do medicamento não seja interrompido antes da hora.

Os efeitos colaterais tendem a fazer o caminho inverso: são mais percebidos no começo e diminuem ou desaparecem com o tempo, após um processo de adaptação. É fundamental que o paciente esteja bem informado nessa fase e eventualmente inicie o tratamento com doses menores, fazendo ajustes progressivos para facilitar a tolerância. Esses medicamentos preventivos não são "tarja preta", não são tranquilizantes nem devem ser utilizados durante uma crise aguda. A missão deles é alterar o limiar da ansiedade, ajudando na prevenção das crises e na atenuação da manifestação. São de uso prolongado, de ajustes mais lentos e não devem ser suspensos de forma abrupta pelo paciente.

O local de ação desses medicamentos é o cérebro, geralmente reduzindo a recaptação (retirada) da serotonina em determinadas regiões que ligam os neurônios. Se eles reduzem a retirada da serotonina, logo aumentam a quantidade dela nessa região, aumentando também seu efeito. O mecanismo é parecido nos remédios que alteram outros neurotransmissores além da serotonina, como a noradrenalina. Chamamos a classe que altera só a serotonina de inibidores seletivos de recaptação de serotonina (veja a lista abaixo com os principais agentes dessa família). Os que alteram a função da serotonina e da noradrenalina são chamados de inibidores da recaptação de serotonina e noradrenalina. Mais recentemente, novas classes de medicamentos têm sido eventualmente utilizadas para controlar a ansiedade.

Atuam seletivamente na serotonina	Antidepressivos tricíclicos
Fluoxetina	Amitriptilina
Paroxetina	Nortriptilina
Sertralina	Clomipramina
Citalopram	Imipramina
Escitalopram	**Outras substâncias eventuais**
Atuam na serotonina e na noradrenalina	Pregabalina
Venlafaxina	Trazodona
Desvenlafaxina	Buspirona
Duloxetina	Quetiapina

Tabela com exemplos de substâncias utilizadas
no tratamento da ansiedade patológica

Tratamento e prevenção dos transtornos ansiosos

Isso parece meio complicadinho, mas não se engane: é bem mais complicado do que parece. Ainda bem que você tem seu médico para refletir sobre o melhor remédio e sua função dentro do cérebro. O profissional escolherá a opção que pareça se encaixar melhor com seu perfil, de acordo com sua idade, peso, sexo, tipo de ansiedade, doenças associadas, estilo de vida e perfil de tolerância a determinados efeitos colaterais. A dose também será personalizada, devendo ser ajustada com paciência e planejamento. No caso de falhas ou efeitos colaterais mais intensos, o medicamento poderá ser reduzido, ter seu horário alterado ou ser eventualmente substituído. Um medicamento que funciona para uma pessoa não necessariamente funcionará para outra, por isso a automedicação é recriminável, podendo agravar muito o caso. Busque sempre uma avaliação presencial, individualizada e com profissionais de confiança.

Mais recentemente, novas classes de medicamentos têm sido utilizadas para controlar a ansiedade, além dos clássicos que alteram a função da serotonina ou da noradrenalina. Seu médico poderá optar entre as classes de acordo com a evolução do seu caso.

Mas será que todos os casos precisam de medicamento? Será que todos os tipos de ansiedade respondem da mesma forma? A resposta é não para ambas as perguntas.

A utilização de medicamentos é uma decisão médica diante da severidade de um caso, do tipo de ansiedade e do seu impacto na qualidade de vida do paciente. Algumas formas bem leves e situacionais podem se beneficiar de ajustes no estilo de vida e de psicoterapia. No entanto, em formas mais intensas e sintomáticas o medicamento é, sim, bem-vindo por um tempo

O cérebro ansioso

variável, mas raramente por menos de seis meses. Depois desse período, alguns pacientes ficarão livres do remédio, outros o utilizarão por um tempo mais prolongado. Tudo dependerá da evolução do quadro, das recaídas, do contexto de vida, entre outras variáveis. Algumas formas respondem relativamente bem ao remédio, como o transtorno de ansiedade generalizada e a síndrome do pânico (apesar de a agorafobia ser por vezes resistente), outras formas respondem melhor à terapia cognitivo-comportamental, como as fobias específicas. No caso do transtorno obsessivo-compulsivo e da síndrome do estresse pós-traumático, o impacto do medicamento e da terapia é parecido. No entanto, como já dito anteriormente, o tratamento combinado pode ser utilizado em todas as formas de ansiedade patológica, com bons resultados gerais.

Não se sabe ainda ao certo o motivo, mas uma minoria de pessoas parece ser mais resistente à ação dos medicamentos, gerando uma parcela de pacientes que não apresentam muita melhora, mesmo com o tratamento bem instituído e otimizado. Chamamos esses casos de refratários, mas eles são raros, exigindo tratamentos com psiquiatras especializados.

Alguns pacientes estranham o fato de esses medicamentos serem da classe dos antidepressivos e contemplarem também essa indicação na bula. Isso é bastante frequente em neurologia e psiquiatria, quando determinada substância tem mais de uma aplicação clínica. Os antidepressivos com frequência têm ação antiansiedade e por isso são aplicados também em pacientes que não estão deprimidos. Nos pacientes com os dois transtornos, o medicamento age no combate às duas patologias.

Resumidamente, os medicamentos dessa classe são uma excelente alternativa para determinados pacientes, mas não são

Tratamento e prevenção dos transtornos ansiosos

uma solução mágica ou isolada que pode substituir a terapia psíquica ou as mudanças de estilo de vida. Pelo contrário, o medicamento traz um conforto clínico e um controle de sintomas para tornar o paciente apto a realizar mudanças no seu ritmo de vida e ajustes psicossociais.

A ansiedade é um transtorno limitante e progressivo, que dificulta o enfrentamento inicial do paciente em relação à própria doença. É como se ele estivesse lutando em um ringue, mas de mãos atadas e olhos vendados. Exigir uma reação à altura, em casos nos quais a doença já está plenamente estabelecida, é negar a própria natureza orgânica e incapacitante do transtorno. Dizer, de forma simplista e ingênua, que o paciente vai reverter um transtorno da magnitude dos apresentados nesta obra apenas instituindo uma rotina mais saudável e mudando o padrão de pensamento é negar todo o avanço científico por trás da compreensão dessas doenças. São problemas complexos, com causas complexas e enfrentamento complexo. A doença vem com tudo, e em alguns contextos não dá para abrir mão do apoio medicamentoso direcionado. Livrar o paciente dos sintomas incapacitantes é um passo inicial relevante na retomada do equilíbrio. Tratar o transtorno com respeito ajuda a otimizar o tratamento, contribuindo para evitar complicações de mais difícil manejo e devolver ao paciente sua capacidade de transformar a vida.

O ringue continua lá, a briga ainda é feia, mas os braços do paciente estão soltos; não existe mais a venda nos olhos. Agora é levantar a guarda e proteger o rosto, se esquivar dos golpes e andar para a frente, disparando contragolpes.

O cérebro ansioso

Pontos relevantes na compreensão dos medicamentos preventivos (tratamento)

- São de uso crônico e diário (mínimo de seis meses).
- Não são eficientes para cortar uma crise aguda em andamento (como abortar uma crise de pânico).
- Agem no cérebro regulando o funcionamento de neurotransmissores (como a serotonina e, eventualmente, a noradrenalina e a dopamina).
- Exigem uma fase de adaptação, trazendo benefícios após um tempo inicial de uso, geralmente entre quatro e oito semanas.
- Existem várias opções, escolhidas caso a caso.
- Não devem ser automedicados, ajustados na dose ou ter seu uso interrompido sem aconselhamento médico.
- A dose é regulada aos poucos, de acordo com a efetividade e a tolerância do paciente.
- Não substituem a psicoterapia nem mudanças no estilo de vida; na verdade, auxiliam-nas.
- Podem apresentar efeitos colaterais, mais frequentes no início do tratamento, que tendem a melhorar com a adaptação.
- São medicamentos controlados (tarja vermelha), que exigem prescrição médica e seguimento.

Calmantes "tarja preta"

Nessa categoria, temos os medicamentos frequentemente usados para o controle imediato de uma crise aguda de ansiedade. Eles abrandam o evento no momento da sua ocorrência, pois agem em poucos minutos e têm a capacidade de "apagar o incêndio", fazendo efeito por algumas horas. A principal classe desses medicamentos é conhecida como benzodiazepínicos, existindo vários representantes (veja a seguir a lista dos mais conhecidos e utilizados em nosso meio). Eles têm ação calmante e tranquilizante, são controlados e exigem receita médica azul (estes, sim, são os chamados "tarja preta"). Seu uso é direcionado para o alívio dos sintomas em pacientes com manifestações intensas de ansiedade ou franca dificuldade de dormir. O mecanismo de ação desses remédios é bem diferente, pois eles não regulam a serotonina, mas sim promovem uma sensação de calma, sono e relaxamento muscular por atuar em receptores dos neurônios relacionados à inibição da atividade excessiva. Diferentemente dos medicamentos sobre os quais já conversamos, eles não se prestam ao tratamento de médio e longo prazos, apesar de serem utilizados como tratamento complementar em alguns casos. Seu uso é mais frequente durante crises agudas de pânico, ou no início do tratamento, quando o paciente está mais desconfortável e necessita aguardar o tempo de adaptação ao medicamento de uso contínuo.

Exemplos de calmantes
Diazepam
Clonazepam
Alprazolam
Cloxazolam
Lorazepam
Bromazepam
Clobazam

O maior problema desses medicamentos é o risco de desenvolver tolerância e dependência. Alguns pacientes passam a necessitar de doses cada vez mais altas para obter o mesmo

O cérebro ansioso

efeito. Além disso, podem manifestar sintomas de abstinência com a interrupção abrupta. Por isso, seu uso é recomendado apenas sob supervisão médica. São substâncias importantes e úteis, mas em situações pontuais e por curto prazo. São, de modo geral, seguros e relativamente bem tolerados, principalmente em doses baixas. Podem ser associados aos medicamentos de uso regular, sempre seguindo a prescrição e orientação de seu médico.

Infelizmente, existe um uso abusivo desse tipo de substância, em parte por culpa dos próprios médicos, que, por vezes, prescrevem e mantêm essa classe de medicamento de forma indiscriminada e por longos períodos, em parte pelos próprios pacientes, que frequentemente perdem o seguimento e apenas replicam receitas sem controle clínico adequado. Por outro lado, com as novas substâncias da linha preventiva, a utilização dessa classe de medicamento (os benzodiazepínicos) tem sido progressivamente reduzida, limitando-se às fases de descompensação, ao uso durante crises agudas e ao controle do sono.

Uma preocupação mais recente com relação ao uso excessivo e crônico desses calmantes surgiu com alguns trabalhos que apontaram para um aumento no risco de esquecimentos progressivos na terceira idade. Essa associação ainda não foi plenamente compreendida, ainda não sabemos se existe uma associação causal ou se os calmantes apenas marcariam uma população com outras variáveis de risco. Seja como for, isso tem reforçado ainda mais o conceito de utilizá-los na menor dose e pelo menor tempo possível, e não como terapia de longo prazo.

Pontos relevantes na compreensão dos calmantes/tranquilizantes (tarja preta)

- São usados no controle sintomático, agudo e momentâneo das crises de ansiedade.
- Atuam reduzindo a tensão psíquica, relaxando a musculatura e induzindo sono (dependendo da dose).
- Agem reduzindo a excitação dos neurônios.
- Devem ser utilizados com responsabilidade, em doses adequadas e por tempo determinado (sob controle e seguimento médico).
- Exigem receita azul, mais controlada.
- Podem induzir tolerância e dependência, em alguns casos.
- São muito úteis em período de descompensação, em início de tratamento (até que a função dos preventivos seja atingida) e para atenuar crises intensas (como o pânico).

Substâncias fitoterápicas

Alguns pacientes me perguntam sobre opções mais naturais para o tratamento da ansiedade, além dos ajustes de estilo de vida. Existem opções, mas com resultados bastante variáveis e tênues em estudos científicos controlados. São possibilidades para pacientes de formas mais leves, menos crônicas e incapacitantes de ansiedade, e para pessoas que apresentam contraindicações aos medicamentos clássicos descritos anteriormente.

Os fitoterápicos são medicamentos derivados de plantas. Entre os mais famosos estao a Valeriana (*Valeriana officinalis*) e a Passiflora (*Passiflora incarnata*). Funcionam reduzindo a tensão e induzindo levemente o sono, principalmente em pessoas mais sensíveis a eles. Podem ser administrados em chás ou comprimidos, eventualmente associados, sob supervisão médica, às substâncias alopáticas tradicionais.

O cérebro ansioso

Outros medicamentos sintomáticos

Como vimos ao longo dos capítulos anteriores, os transtornos de ansiedade se expressam de forma bastante variada. Alguns pacientes apresentam sintomas físicos exuberantes e desconfortáveis, como taquicardia, náuseas, dores musculares, dificuldade para dormir, diarreia, entre outros. Por isso, não é raro que o médico precise abordar de forma direcionada esses sintomas enquanto o transtorno de ansiedade é tratado. Em alguns casos, o médico pode optar por utilizar medicamentos para controle da frequência cardíaca e tremores, utilizar medicamentos analgésicos ou relaxantes musculares, introduzir substâncias para regular o intestino, otimizar o sono etc. Essa conduta sintomática é mais utilizada em formas mais agudas de ansiedade, de expressão física. Lembrando que o tratamento nunca deverá focar somente o sintoma, mas sim a causa, que é a ansiedade.

Refletindo sobre o uso de medicamentos

Com essa nossa breve conversa sobre medicamento fica mais claro como existem opções e toda uma logística na introdução e gerenciamento das substâncias. Não basta tomar um comprimidinho qualquer pela manhã e aguardar a solução dos problemas. Existe uma gama de interpretações que levará seu médico a escolher uma conduta ou outra, com a necessidade de ajustes dependendo do tipo de ansiedade, da fase do tratamento, da resposta alcançada e do grau de tolerância. A construção dessa prescrição é um ato personalizado, individual e que exige tranquilidade, tempo e paciência por parte de todos os envolvidos.

Compreendo o receio de alguns com relação a medicamentos que agem no cérebro, afinal, somos o nosso cérebro. Algo que o modifique também nos modifica. Por vezes, escuto

Tratamento e prevenção dos transtornos ansiosos

argumentos como: "Não quero algo que transforme meu modo de pensar e agir, que altere minha reação e me transforme naquilo que eu não sou". Mas do que exatamente você está falando? Do seu transtorno de ansiedade? Porque é ele que está no seu cérebro, alterando sua *performance*, desajustando seu modo de reagir ao mundo e impactando negativamente sua qualidade de vida. O remédio é uma tentativa de ajustar, de recuperar quem você verdadeiramente é, de devolver sua normalidade, sua autonomia, seu livre-arbítrio, pois você não nasceu assim, certo? É uma questão de ponto de vista. Não tem sentido algum dar insulina para quem não é diabético. Tratamos desajustes e desarranjos, buscando restabelecer a ordem, ou, pelo menos, nos aproximar dela.

O medicamento não visa gerar uma felicidade que não existe nem deixar o paciente passivo, alterando sua personalidade. Alguém bem medicado deve sentir tristeza, tensão, prazer, deve sofrer diante de algo que é motivo de sofrimento e se alegrar diante da graça. O tratamento busca respostas compatíveis com o estímulo enfrentado, e não respostas amplificadas, catastróficas e paralisantes, como as dos transtornos. Não se encapsula o prazer, apenas se reajusta o mecanismo cerebral capaz de extraí-lo. Não queremos abolir o medo, mas recuperar seu aspecto de proteção e adaptação, abolindo assim a escravidão imposta pelo seu descontrole. Não queremos alguém completamente sem manias, mas sim pessoas capazes de escolher, produzir e enfrentar a vida em busca de seus sonhos, suas memórias e com habilidade de se ajustar, transpor frustrações, se reconstruir e se reinventar.

Acredito muito no tratamento abrangente, multifatorial e pautado em metas e expectativas reais – com bom senso, sem medicar sentimentos normais, sem tratar excessivamente reações

O cérebro ansioso

naturais às perdas, às frustrações mal resolvidas ou à simples necessidade de amadurecimento pessoal. Encontrar esse equilíbrio diante de transtornos espectrais e oscilantes (como os de ansiedade) não é nada fácil, mas essa é a arte daqueles que se prestam a avaliar e tratar os transtornos da mente.

Passo número 6: Seguimento e monitorização

Esse é o passo final de nossa discussão sobre o tratamento. Quem percorreu o caminho do diagnóstico, implementou mudanças de estilo de vida, encarou a psicoterapia e, eventualmente, recebeu um tratamento medicamentoso não pode escorregar agora, mas conheço dezenas de casos que se perderam aqui. Os pacientes abandonaram o seguimento, deixaram a monitorização de lado e pagaram seu preço. Alguns viraram renovadores de receita médica, tolerando sintomas residuais. Outros abandonaram o tratamento e sofrem com recaídas ou mesmo se submetem a uma vida orquestrada pelo transtorno. A ansiedade tem seus meios e métodos, dá seus pulos, valendo-se de momentos de vulnerabilidade para se restabelecer.

A avaliação inicial é um momento, uma foto do começo do enfrentamento. Mas esse tratamento será esculpido e sedimentado ao logo do tempo, como um filme, com novas cores e um novo enredo. E não pense que será uma comédia romântica. Geralmente segue-se um filme de ação, com pitadas de drama e sem garantias de final feliz! Durante o seguimento, surgirão dificuldades e necessidade de ajustes. A vida é dinâmica.

Vamos passo a passo. Após a avaliação inicial, o objetivo é fazer com que o paciente melhore, fique funcional, capacitado a tomar as rédeas de sua existência com a melhor qualidade emocional possível. Uma vez alcançado esse objetivo, o foco é sustentá-lo. E essa é uma tarefa árdua. Isso porque quem procura ajuda e recebe um tratamento abrangente muitas vezes se empolga, interagindo positivamente com sua saúde, criando rápidas ferramentas de enfrentamento, passando por uma espécie de lua de mel. No começo, todos vêm ajudar, são solícitos e pacientes com você, o medicamento encontra um cérebro desarmado que não o conhece, apresenta também um rendimento favorável. Mas o tempo passa e o buraco se mostra mais fundo. Sustentar bons hábitos, envolver-se com o tratamento psicoterápico, dedicar-se a ele, aceitar os prós e os contras dos medicamentos, enfim, tudo se torna uma tarefa muito mais complicada e desafiadora com o passar do tempo. A ansiedade não desaparece num passe de mágica, ela vai capengando, oscilando, fortalecendo-se aqui e se fragilizando ali. A briga é normalmente de muitas batalhas; vencem-se umas, perdem-se outras. Por isso, você precisa entrar preparado e com um time afiado, uma equipe capaz de enfrentar os bons e maus momentos, treinada não para os 100 metros rasos, mas para uma maratona na condição climática que vier, segura e comprometida em não jogar a toalha na primeira recaída do TAG, do pânico, do TOC, ou da sigla que for.

O seguimento é uma medida imprescindível. Assim como a vigilância do próprio paciente, médico, psicólogo e familiares. Após a estabilização, o paciente será avaliado com relação à possibilidade de redução e eventual suspensão de medicamentos. Essa também não é uma decisão simples. O médico avaliará o tipo de transtorno, os fatores biológicos envolvidos, a intensidade do quadro inicial, a situação de vida, o tempo livre dos sintomas e o número de recaídas que o paciente eventualmente já teve.

O cérebro ansioso

De modo bem geral, muito raramente suspendemos o medicamento em menos de seis meses a um ano de estabilidade. Sabe-se que retiradas precoces estiveram associadas a uma maior taxa de recaídas. Também raramente suspendemos o medicamento antes da consolidação de mudanças de hábitos de vida e/ou evolução da psicoterapia. Faz sentido: se nada foi alterado no ritmo, contexto e situação global de vida do paciente, logicamente o transtorno tem tudo para se reapresentar com a retirada da substância. Por isso, o trabalho de ajuste de gatilhos e válvulas de escape ajudam muito na evolução clínica, facilitando a redução de doses e eventual suspensão do suporte químico (remédio).

Alguns pacientes poderão ficar sem medicamento após um episódio de ansiedade adequadamente tratado. Outros necessitarão de medicamentos por mais tempo, em várias fases da vida ou mesmo de forma contínua, para evitar recorrências. Tudo dependerá da evolução e do contexto individual. Lembre que não tratamos doenças, mas pessoas doentes.

Perceba a evolução do foco do tratamento no decorrer do transtorno. Inicialmente, buscamos o alívio dos sintomas, depois, a estabilidade e a otimização de fatores que reduzem o risco de recorrência. Posteriormente, discutiremos a possibilidade de redução de medicamentos, entre outras medidas.

PONTOS IMPORTANTES DESTE CAPÍTULO

- O tratamento do transtorno ansioso deve ser personalizado e abrangente.
- Podemos dividir a abordagem ideal em seis passos: buscar ajuda, aceitar o diagnóstico, revisar o estilo de vida, procurar psicoterapia, tomar medicamento e monitorar o seguimento clínico.
- As mudanças de estilo de vida são fundamentais.
- O impacto da psicoterapia é relevante em praticamente todos os contextos. A TCC é uma das modalidades mais estudadas no TOC, fobias e síndrome do pânico.
- Existem medicamentos direcionados para a prevenção e o controle dos sintomas das crises agudas.
- Uma vez obtidos o diagnóstico e o método de controle dos sintomas, é fundamental planejar um bom seguimento para evitar oscilações e recaídas.

CONSIDERAÇÕES FINAIS

Chegamos ao capítulo final, após uma longa caminhada. Sabe que, como no começo, eu continuo aqui meio ansioso, e assim foi durante todo o trajeto. Ainda bem! A ansiedade me acompanhou e me guiou através do meu objetivo, sendo a força contra a inércia dos fins de dia e dos fins de semana, um alento contra a procrastinação frente a um projeto importante, mas não emergencial. Ela esteve ali, estimulante e comportada, soprando a favor dos ventos do rendimento.

Nestas páginas, desenvolvemos conceitos preciosos na compreensão dos transtornos de ansiedade. Busquei uma abordagem dinâmica, franca e pessoal, deixei aqui e ali conceitos, opiniões, pontos de vista e reflexões. Começamos na função, terminamos na doença. No meio, encaramos os processos de adoecimento, as formas de manifestação, os meandros do diagnóstico, o processo de restabelecimento da saúde. Conhecemos casos, "causos" e histórias pessoais inspirados na vida real. Os transtornos ganharam um nome, um rosto e um contexto. Tentamos trazer a reflexão para a nossa pele, fazer você se sentir ora como

O cérebro ansioso

alguém do lado de lá, ora como alguém do lado de cá da mesa do consultório.

Espero que você, leitor que cruzou comigo essa maratona e chegou aqui, esteja agora com ainda mais dúvidas, pois assim eu me sinto como quando enfrento um novo confronto com transtornos ansiosos. Não buscamos neste livro esgotar um tema, mas levantar a bola e trazer alguns dilemas à tona, pois eles são por vezes mal-entendidos e mal resolvidos. Assim é nossa mente e seus transtornos: uma fração dinâmica e misteriosa de disfunções espectrais e contextuais, não resumíveis e codificáveis em siglas, em critérios objetivos, nem aplicáveis de forma indiscriminada. Ficarei feliz se tiver passado alguns recados com a ênfase que merecem.

Ansiedade não é sempre doença, mas pode vir a ser

A ansiedade é um pacote cerebral de enfrentamento e reação ao estresse que nos capacita e nos protege. É um presente da evolução e por isso chegou até nós, preservada e poderosa como é. Na sua forma natural é proporcional, contextual e positiva. No entanto, pode sair do controle, e com frequência o faz. Vivemos uma epidemia moderna de transtornos ansiosos – por predisposição genética, traumas e estilo desfavorável de vida. Desregulamos nossos sensores de risco, nossas âncoras no presente e nosso termômetro de expectativas. Adoecemos, perturbando o resultado final, perdendo rendimento e minando nossa qualidade de vida e a dos que nos cercam.

Considerações finais

O cérebro é muito mais poderoso do que se imagina

Espero que tenha conseguido transmitir esse conceito. Nosso cérebro não coordena "apenas" o gerenciamento do raciocínio, as questões emocionais e as tomadas de decisão. Ele influencia rápida e diretamente a função de diversos órgãos e sistemas do corpo, podendo gerar sintomas que se manifestam à distância. Ele controla o sistema hormonal, os batimentos cardíacos, o ritmo gastrointestinal, a pele, os pulmões, os músculos e por aí vai. Quando o cérebro não está bem, o transtorno nem sempre é sentido acima do pescoço, e a repercussão pode ir bem longe, imputando a culpa para outras disfunções clínicas. Transtornos de ansiedade se camuflam e se expressam de diversas formas, às vezes de uma maneira muito mais física, às vezes mais psíquica ou cognitiva. O "desconfiômetro" deve estar sempre ligado se o contexto for pertinente.

O limite da normalidade é subjetivo, mas existe

Entendo que o limite entre a ansiedade normal, que nos ajuda a seguir a vida e protege a sobrevivência, e a ansiedade patológica, que nos atrapalha, é relativamente subjetivo. O exato momento em que cruzamos a linha da normalidade e adentramos o espaço da doença não é claro como um risco no chão. No entanto, a maioria dos casos bem diagnosticados está dentro do espectro patológico: são situações nas quais o nível de ansiedade passou e muito do aceitável, estando distantes dessa fronteira tênue. Isso

O cérebro ansioso

acontece porque o diagnóstico se apoia no impacto no rendimento, mais do que no sintoma em si; pauta-se na incongruência franca do medo e sua repercussão, no sofrimento excessivo, que vai além das reações naturais. Como vimos em nossos exemplos, apesar de serem casos clássicos e graves, ficou bastante evidente a desproporção, a colaboração com o resultado negativo, o caráter não fisiológico e não funcional das apresentações clínicas. Todos perderam a capacidade de escolha, a autonomia, parte de seu livre-arbítrio por conta de algo que extrapolou a fronteira da saúde. E se nada fosse feito, teriam perdido mais. Os transtornos de ansiedade são doenças tão humanas que nem sequer são detectados por máquinas. Mas podem ser observados com um olhar atento, empático, sensível e também humano, que enxerga para além de um exame, que capta histórias, biografias e perturbações no nível emocional.

Adoecemos sem querer, mas só nos curamos se quisermos

Não existe cura fácil, rápida e milagrosa. Podemos até adoecer sem esforço, de forma automática e involuntária, seguindo a valsa. Mas a recuperação é uma jornada pessoal contra a correnteza, contra as forças da natureza, e que demanda preparo. Livre-se do peso de memórias desnecessárias, de âncoras sociais, libere seus ombros, você vai precisar deles. Assuma o protagonismo da história que quer narrar para seus netos. Troque os óculos, esfregue os olhos e jogue um pouco de água no rosto, você vai precisar ver diferente. Rasgue os *scripts* que lhe deram por aí e escreva os seus, colocando-se no centro, já que a vida deve ser vista sob a sua

Considerações finais

própria ótica. Ame-se imperfeito e aceite a assimetria. Rescinda o contrato com o futuro, faça outro, mais leve e permissivo, inclua uma cláusula para o acaso. Faça as pazes com o agora, respire no tique-taque da vida real, desacelere. Tome um remedinho se for o caso – sempre consultando um médico, claro. Faça-o com a fé que move montanhas, mas sem a ilusão infantil de que um comprimido, sozinho, salvará a lavoura. Ninguém se cura de fora para dentro. Sua melhor serotonina já está por aí, na sua versão caseira, feita no forno a lenha da consciência, orgânica, com cheiro de café recém-coado, gosto de broa de milho quentinha, mas você precisa procurar direito, em cada cantinho da mente, além da bagunça, da fumaça, da poeira, seguindo as pistas da sua própria essência. Ninguém pode fazer isso por você.

Espero que tenha sido um passeio agradável e produtivo. Para mim, foi um imenso prazer produzir este material. Que você siga daí, em busca de mais e mais referências e pontos de vista sobre esse palpitante assunto. Eu seguirei daqui, também aprendendo, refletindo, revisitando e reformulando meus conceitos. Que possamos seguir em nossa contínua metamorfose, com cada vez mais sabedoria e maturidade. Torço para que nossos caminhos se encontrem novamente algum dia. Foi uma honra tê-lo como leitor.

Obrigado!

AGRADECIMENTOS

Eu estava aqui refletindo sobre as emoções que venho sentindo nesses dias após concluir esta obra. A primeira é uma sensação subjetiva de leveza, como se eu tivesse tirado de dentro de mim e dado andamento a uma parcela pesada das minhas reflexões. Essa é a minha terapia – sou daqueles que precisam falar, dividir, contar para alguém, não gosto nem de imaginar que estou aqui pensando sozinho. A segunda emoção acaba sendo a gratidão. Sou imensamente grato a você, leitor! Seu ouvido, atento e curioso, concebe e inaugura esse fascinante plano de comunicação. Seu cérebro, conectado ao meu por estas páginas, dá propósito e vazão a mais este projeto. Sua presença por aqui é o alento de que não morremos na praia, nadamos e chegamos bem vivos e inteiros.

De certa forma, o ato de pensar e escrever um livro é um exercício bem solitário, mas esta obra só se materializou realmente com a presença, a participação e a crença de um grande número de pessoas. Há um ditado popular que diz: "Quer ir rápido? Vá sozinho. Quer ir longe? Vá acompanhado". Segui à risca, sem pressa, fui cercado de pessoas especiais.

O cérebro ansioso

E aqui lhe peço licença, meu caro leitor, preciso falar com algumas delas em particular:

Carina, meu amor. Você foi incrível sempre, mas, nesses últimos meses, você se superou. Enquanto eu "gestava" esta obra, você fazia o mesmo com a nossa segunda filha! E não é que nasceram quase juntas. Talvez não tenha sido o melhor momento para eu me dedicar a este projeto, mas mesmo assim tive o seu total apoio. Você segurou a onda, foi minha companhia de todas as horas, se sacrificou por noites a fio, me deu a tranquilidade e a serenidade necessárias para a elaboração de um material como este. Além disso, muito do que está aqui dentro nasceu de nossas conversas cotidianas, nossas impressões informais do mundo e nossos debates despretensiosos acerca da vida. Em uma caminhada de poucas escolhas verdadeiras, você é a minha escolha! Obrigado por existir.

Luiza, minha filha querida. Seu olhar alegre e sua visão simples e otimista da vida faz qualquer desafio virar um passeio no parque. Não passo um único minuto sem pensar em você. Você foi o primeiro grande presente de Deus, dando sentido a outros presentes que eu já tinha recebido e nem sequer tinha percebido. Obrigado por compartilhar conosco sua inteligência ingênua e por fazer do meu mundo um lugar melhor. Continue assim mais um pouquinho, congelada nos seus 6 aninhos.

Alice, meu recém-chegado pedaço de felicidade. Você é uma espécie de irmã gêmea deste livro, nasceram quase ao mesmo tempo. Você emprestou o tom de amor e placidez a essa experiência literária. Ainda não a conheço direito (você ainda só tem 2 meses), mas sei que tem olhos vivos e bochechas fofinhas. Sei também que quando abre um sorriso o mundo se enche de

Agradecimentos

dopamina. Dedico a você esta obra! Até porque ainda sofro com cada segundo que tive que me afastar para escrevê-la.

Maria Lúcia, minha mãe. Você é no mundo a pessoa que mais conhece minha história. Esteve ao meu lado nas batalhas mais complicadas dessa vida – que você sabe que não foram poucas e vencemos juntos a maioria delas. Sou resultado do seu empenho e dedicação. Você é uma grande influência e inspiração para minhas realizações. Espero que, como psicóloga e mãe do autor, você aprecie este material. Saiba que sou muito grato por tudo!

Marina Constantino, você foi uma editora e tanto! Foi presente, disposta, levou nossa empreitada com graça e simpatia, como a arte deve ser. Você deu ritmo, clareza e lucidez a esse material, sem alterar sua personalidade. Seu toque de "humanas" abrilhantou esta obra biológica. Bom trabalho! Tive sorte de ser você.

Pessoal da Editora Alaúde, lá vamos nós para mais um projeto! Muito obrigado pelo empenho e pela simpatia de todos vocês. Que o sucesso e a sinergia que alcançamos em *Antes que eu me esqueça* contamine este novo trabalho. Vocês realizaram dois dos meus sonhos de vida, serei eternamente grato pela confiança e pelo profissionalismo de vocês.

Débora, nunca poderia deixar você de fora dessa. Você é uma secretária diferente, pois é uma pessoa diferente. Veste a camisa, se preocupa e entrega sempre o seu melhor, e isso é um talento raro. Com você do lado de fora da sala eu tenho tranquilidade para empenhar meus esforços na condução dos casos e na elaboração de materiais como este. Que eu possa ser por você pelo menos metade do que você representa para mim. Muitas felicidades com sua nova e completa família. Você merece!

O cérebro ansioso

Amigos do programa *Mulheres*, TV Gazeta, minha história profissional é inseparável da história desse programa, do qual participo como colaborador quinzenal fixo há cerca de seis anos. O *Mulheres* deu voz à neurologia e à psiquiatria, levou assuntos complicados para dentro da casa das pessoas, projetando o tema e o interlocutor deste material. Sinto muito orgulho em fazer parte desse time unido e talentoso. Deixo um agradecimento especial à Marinês Rodrigues (diretora artística), ao meu amigo Ocimar de Castro (diretor), à Regina Volpato (apresentadora) e à Letícia Dongo (produtora das pautas médicas). Deixo também expressa minha gratidão por duas pessoas que me auxiliaram muito em anos anteriores do programa, o diretor Rodrigo Riccó e a apresentadora Cátia Fonseca.

Queridos pacientes, sou médico escritor, não o contrário. Minha arte é cuidar de pessoas, não troco isso por nada e me realizo assim. Minha experiência com nosso dia a dia me deu ânimo para compilar este material. Nele abordo algumas de nossas histórias e vivências ao longo desses onze anos de profissão. Sou fruto da prática, filho do enfrentamento de problemas reais. Muito obrigado por confiarem a mim parte de seus cuidados. Como meus mestres, sintam-se parte indivisível desta obra.

Meus seguidores, recebo diariamente muitos contatos, perguntas e muito carinho vindo de quem acompanha meu trabalho, mesmo à distância, pela tevê ou pelas mídias sociais. Fico admirado e emocionado com a quantidade de pessoas e o grau de interação que temos desenvolvido nessas plataformas. Gostaria de retribuir afeto com afeto, pergunta com resposta, de forma mais pessoal, mas é humanamente impossível e eticamente inviável em alguns casos. Minha única ferramenta

Agradecimentos

objetiva é a produção de mais e mais conteúdo, feito com a máxima clareza e honestidade possível. Recebam este novo livro como uma forma de abraço. Espero sinceramente que gostem.

Muito obrigado a todos!

Leandro Teles

SOBRE O AUTOR

Leandro Teles é médico neurologista formado pela Faculdade de Medicina da Universidade de São Paulo (FMUSP) em 2006. Cursou sua especialização em neurologia clínica no Hospital das Clínicas da Faculdade de Medicina da Universidade de São Paulo (HC-FMUSP), entre 2007 e 2010. Foi preceptor do departamento de neurologia do HC-FMUSP entre os anos de 2011 e 2013, tendo ministrado mais de cem aulas para o curso de Medicina da USP, sendo homenageado pelos formandos em 2012. Ao lado de sua atividade assistencial, prestou consultoria na área de saúde para diversos meios de comunicação, como tevês, jornais, revistas e sites especializados. É colaborador fixo no programa *Mulheres*, da TV Gazeta, no qual aborda temas de neurologia e neuropsiquiatria desde 2012. É autor do livro *Antes que eu me esqueça* (Alaúde, 2016) e membro efetivo da Academia Brasileira de Neurologia (ABN).

Site: www.leandroteles.com.br
YouTube: Neurologista Leandro Teles
Instagram: @neuroleandroteles
Facebook: /Neurologista Leandro Teles

EDITORA ALAÚDE

CONHEÇA OUTROS LIVROS

Relacionamento Saudável

Autoajuda

50 MANEIRAS DE MELHORAR SUA INTERAÇÃO COM OS OUTROS EM CASA E NO TRABALHO.

Fundamentado na ciência do cérebro e na psicologia clínica, mas permeado pela sabedoria ancestral das práticas contemplativas, *Como construir grandes relacionamentos*, oferece 50 habilidades fundamentais, entre as quais: como se convencer de que você realmente merece ser bem tratado, como se comunicar efetivamente, como permanecer centrado para que os conflitos não o abalem demais e como ver o bem nos outros (mesmo quando eles dificultam).

SE FOSSE FAZER APENAS UMA COISA PARA TRANSFORMAR SUA SAÚDE, O QUE SERIA?

Transformação Pessoal

Vida Fitness

Todos queremos maneiras rápidas e fáceis de melhorar nossa saúde, mas quando se trata de dieta, condicionamento físico e bem-estar, pode ser difícil separar os fatos dos modismos. Dr. Mosley traz à luz pequenas coisas que você pode introduzir em sua rotina diária que terão um grande impacto em sua saúde mental e física.

Todas as imagens são meramente ilustrativas.

Acesse o QR Code
para conhecer outros
livros do autor.

Compartilhe a sua opinião
sobre este livro usando a hashtag   /EditoraAlaude
#OCérebroAnsioso   /AlaudeEditora
nas nossas redes sociais: